1조 리더십 강의

리더는 누구나 되지만
방탄 리더는 아무나 될 수 없다!

1조 리더십 강의

리더는 누구나 되지만
방탄 리더는 아무나 될 수 없다!

방탄 리더십 신조

들어라 하지 말고 듣게 하자.
누구처럼 살지 말고 나답게 살자.
좋아하게 하지 말고 좋아지게 하자.
마음을 얻으려 하지 말고 마음을 열게 하자.
믿으라 말하지 말고 믿을 수 있는 사람이 되자.
좋은 사람을 기다리지 말고 좋은 사람이 되어주자.
보여주는(인기) 인생을 사는 것이 아닌
보여지는(인정) 인생을 살아가자.
나 이런 사람이야 말하지 않아도 이런 사람이구나.
몸, 머리, 마음으로 느끼게 하자.

－최보규 리더십 일타강사 －

1조 리더십 강의

리더는 누구나 되지만
방탄 리더는 아무나 될 수 없다!

머리말

3고(고물가, 고금리, 고환율) 시대, 포노 사피엔스 시대, 4차 산업 시대, AI시대, 챗GPT 시대... 빠르게 변하는 현실 속에서 점점 더 힘들어지는 상황을 극복하고 차별화 리더십이 아닌 초월 리더십으로 업데이트하기 위한 방탄리더십 5단계 시스템!

1단계

노벨상 수상자 리더십, 성공한 리더의 리더십은 다 잊어라! 4차 산업 시대는 4차 리더십인 방탄 리더십 업데이트를 통해 천재지변 리더가 아닌 천재일우 리더

2단계

스트레스 관리, 마인드컨트롤이 잘 되는 리더 자존감, 멘탈 배터리 고속 충전하는 방법

3단계

삼성(진정성, 전문성, 신뢰성)을 높이는 습관을 통해 리더 행복 초고속 충전하는 방법

4단계

리더 자기계발, 동기부여책 200권, 영상 300개, 교육을 들어도 리더 자기계발, 동기부여가 안 되는 이유

5단계

퇴사를 막고 인재가 오래 머물게 하는 방탄 리더 품위 유지의무 10계명

6

리더는 누구나 하지만 방탄 리더는 아무나 못한다.
방탄 리더 1명이 10만 명을 변화시키고 먹여 살린다.
누구나 방탄 리더가 될 수 있었다면 난 절대로 방탄 리더를 선택하지 않았을 것이다.

어떤 강의에서도 말하지 못한 리더십!
어떤 강사도 말하지 못한 리더십!
어떤 책에도 없는 리더십!
어떤 영상에서도 볼 수 없는 내용의 리더십!

목차

자신 분야 스펙, 내공, 가치, 값어치

카페에서 냅킨에 그린 그림이 1억?

카페에 피카소가 앉아 있었습니다. 한 손님이 다가와 종이 냅킨 위에 그림을 그려 달라고 부탁했습니다. 피카소는 상냥하게 고개를 끄덕이곤 빠르게 스케치를 끝냈습니다. 냅킨을 건네며 1억 원을 요구했습니다.

손님이 깜짝 놀라며 말했습니다. 어떻게 그런 거액을 요구할 수 있나요? 그림을 그리는 데 1분밖에 걸리지 않았잖아요. 이에 피카소가 답했습니다.

아니요. 40년이 걸렸습니다. 냅킨의 그림에는 피카소가 40여 년 동안 쌓아온 노력, 고통, 열정, 명성이 담겨 있었습니다. 피카소는 자신이 평생을 바쳐서 해온 일의 가치를 스스로 낮게 평가하지 않았습니다.

《확신》

강의, 코칭, PT = 내공, 가치, 값어치!

 최보규 대표

상담, 코칭, 강의, 컨설팅 문의
010-6578-8295

☑ **특허청 등록**
등록 번호: 제 40-2072344 호 [최보규 자기계발코칭 창시자]

☑ **20,000명 심리 상담, 코칭**

☑ **2,000권 독서**

☑ **자기계발서 100권 출간**

☑ **강사 15년**

☑ **7G 직업**
(출판사 대표, 작가, 심리 상담사, 코칭 전문가, 강사, 유튜버, 한집의 가장)

☑ **45년간 습관 320가지 만듦**

강사 15년 / 강의 6,000회를 통해 알게 된 교육 담당자, 학습자가 바라는 강사

Google 자기계발아마존　　📺YouTube 방탄자기계발　　NAVER 방탄자기계발사관학교　　NAVER 최보규

1. 가성비 강사 (1+4)

강의 시간 속에 즐거움, 메시지, 스토리텔링,
감동, 실천 동기부여를 해주는 강사

2. 스펙, 강사료 값어치를하는 강사

지금까지 들었던 강사와 다른 내공, 가치, 값어
치가 다르게 느껴지는 강사

3. 실천할 수 있는
강의 사용 설명서를 주는 강사

강의 때 배운 것들 강의 끝난 후 활용할 수 있는
사용 설명서(도구)를 주는 강사

최보규 강사의 차별화 강의가 아닌 초월 강사

1. 가성비 강사가 되기 위해 강사 15년간 2,000권 독서 / 7,000개 메모 / 자기계발서 100권 출간을 통한 메시지, 스토리텔링 강의.

2. 학습자가 봤을 때 "이런 강의는 나도 하겠다."라는 말을 듣지 않고 쓰리 값(나이값, 스펙값, 강사료값)어치를 하기 위해서 강사 11계 명 실천으로 80억 분의 1 검증된 전문가 다운 강의를 하는 강사.

3. 교육, 강의가 끝난 후에 생활 속에서 실천 동기부여를 할 수 있는 도구, 사용 설명서(강사 사비 제작)를 통해 변화, 성장할 수 있게 해주는 강사.

20,000명 심리 상담, 코칭을 통해 알게 된
일반인, 강사, 리더, CEO, 은퇴자, 프리랜서가 바라는 코칭 전문가

Google 자기계발아마존   ▶YouTube 방탄자기계발   NAVER 방탄자기계발사관학교   NAVER 최보규

1. 가성비 코칭
변화, 성장, 자신 분야 연결을 통해 제2수입,
제3수입 까지 발생시킬 수 있는 코칭

2. 시간, 돈 낭비를 하지 않는 코칭
검증이 되지 않는 코칭에 속아 시간과 돈 낭비
를 줄여서 빠른 수입 창출 코칭

3. 코칭, PT 받은 후
A/S, 피드백, 관리를 해주는 코칭
혼자 스스로 할 수 있을 때까지, 자리 잡을 때까
지 멘토가 되어 주는 코칭

최보규 전문가의 차별화 코칭(PT)이 아닌 초월 코칭(PT)

Google 자기계발아마존	▶ YouTube 방탄자기계발	NAVER 방탄자기계발사관학교	NAVER 최보규

1. 가성비 코칭을 해주기 위해서 자신 분야와 6가지 수입 창출하는 방법을 연결시킬 수 있는 기술력을 체계적으로 교육하는 코칭.

2. 특허청 등록: 제 40-2072344 호 [최보규 자기계발코칭 창시자] 매뉴얼, 시스템이 검증된 전문가로서 시간과 돈 낭비를 줄여주는 코칭.

3. 청출어람 사명감으로 150년 A/S, 피드백, 관리를 해준다는 우주 최강 책임감으로 멘토가 되어주는 코칭.

온라인 콘텐츠, 디지털 콘텐츠
제작으로 알게 된 동기부여 초고속 충전!

Google 자기계발아마존   YouTube 방탄자기계발   NAVER 방탄자기계발사관학교   NAVER 최보규

비대면
강의, 컨설팅, 코칭

NAVER 크몽
온라인, 디지털 콘텐츠
크몽 입점(영상, 전자책)

NAVER 탈잉
온라인, 디지털 콘텐츠
탈잉 입점(영상, 전자책)

NAVER 클래스101
온라인, 디지털 콘텐츠
클래스101 입점
(영상, 전자책)

NAVER 클래스유
온라인, 디지털 콘텐츠
클래스유 입점(영상)

NAVER 인클
온라인, 디지털 콘텐츠
인클 입점(영상)

NAVER 방탄자기계발사관학교
한 곳에서 끝내는
자기계발 10개 분야
체계적인 시스템

NAVER 자기계발아마존
홈페이지 무인 시스템
홈페이지 렌탈 서비스
무인 자동 결제 시스템

NAVER 방탄book
온, 오프라인
책 쓰기, 책 출간, 10개 분야
강의, 컨설팅, 코칭

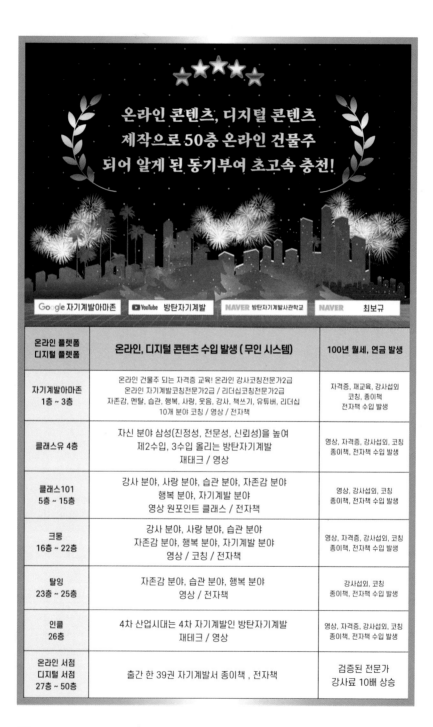

온라인 콘텐츠, 디지털 콘텐츠
제작으로 50층 온라인 건물주
되어 알게 된 동기부여 초고속 충천!

| Google 자기계발아마존 | YouTube 방탄자기계발 | NAVER 방탄자기계발사관학교 | NAVER 최보규 |

온라인 플렛폼 디지털 플렛폼	온라인, 디지털 콘텐츠 수입 발생 (무인 시스템)	100년 월세, 연금 발생
자기계발아마존 1층 ~ 3층	온라인 건물주 되는 자격증 교육! 온라인 강사코칭전문가2급 온라인 자기계발코칭전문가2급 / 리더십코칭전문가2급 자존감, 멘탈, 습관, 행복, 사랑, 웃음, 강사, 책쓰기, 유튜버, 리더십 10개 분야 코칭 / 영상 / 전자책	자격증, 재교육, 강사섭외 코칭, 종이책 전자책 수입 발생
클래스유 4층	자신 분야 삼성(진정성, 전문성, 신뢰성)을 높여 제2수입, 3수입 올리는 방탄자기계발 재테크 / 영상	영상, 자격증, 강사섭외, 코칭 종이책, 전자책 수입 발생
클래스101 5층 ~ 15층	강사 분야, 사랑 분야, 습관 분야, 자존감 분야 행복 분야, 자기계발 분야 영상 원포인트 클래스 / 전자책	영상, 강사섭외, 코칭 종이책, 전자책 수입 발생
크몽 16층 ~ 22층	강사 분야, 사랑 분야, 습관 분야 자존감 분야, 행복 분야, 자기계발 분야 영상 / 코칭 / 전자책	영상, 자격증, 강사섭외, 코칭 종이책, 전자책 수입 발생
탈잉 23층 ~ 25층	자존감 분야, 습관 분야, 행복 분야 영상 / 전자책	강사섭외, 코칭 종이책, 전자책 수입 발생
인클 26층	4차 산업시대는 4차 자기계발인 방탄자기계발 재테크 / 영상	영상, 자격증, 강사섭외, 코칭 종이책, 전자책 수입 발생
온라인 서점 디지털 서점 27층 ~ 50층	출간 한 39권 자기계발서 종이책 , 전자책	검증된 전문가 강사료 10배 상승

최보규 대표

상담, 코칭, 강의, 컨설팅 문의
010-6578-8295

현] 방탄자기계발사관학교 대표
현] 강사야 대표강사
현] 자기계발아마존 CEO
현] 방탄book 출판사 대표
현] 방탄강사사관학교 코칭전문가
현] 사랑의전화 카운슬러
현] 방탄자기계발 유튜버
현] 최보규상(대한민국 노벨상)창시자

책100권 출간 상담 17,000회 코칭 13,000회 강의 경력 6,200회

Google 자기계발아마존 ▶YouTube 방탄자기계발 NAVER 방탄자기계발사관학교 NAVER 최보규

N 최보규

최보규
Bo Kyu Choi 출판인, 심리상담가

네이버 인물정보 등록 34만 명! **(2016년 기준)**
대한민국 1% 미만 **"네이버 명예의 전당"** 인물정보 등록!

프로필 →

소속	방탄자기계발사관학교/방탄북 (BOOK)출판사(대표)
수상	2016년 제1회 세계를 빛낸 천 사상 대상
경력	방탄자기계발사관학교/방탄북 (BOOK)출판사 대표 방탄자기계발사관학교 대표 2012.05~2016.06 사랑의전화 전화상담 자원 봉사자 2015.03~ 시립목동청소년센터 강사
사이트	유튜브, 블로그, 네이버TV, 페이스북, 공식홈페이지
작품★	도서 108건 ★

교육 실적

기업

삼성전자, 현대자동차, 한국전력공사, LG전자, 삼성생명보험, 포스코, GS칼텍스, SK네트웍스, 기아자동차, 현대중공업, 에쓰오일, SK에너지, 한국가스공사, LG디스플레이, GM대우, 교보생명, KT, SK텔레콤, 대한생명, LG화학, 롯데백화점, 신세계백화점, 삼성물산, 삼성화재해상보험, 오일뱅크, 대한항공, 삼성중공업, 현대모비스, 하이닉스반도체, 현대제철, 대우조선해양, 한진해운, 대우건설, GS리테일, 현대건설, 한국수력원자력, 효성, LG상사, 현대상선, 현대해상화재보험, 대림산업, STX팬오션, LIG손해보험, LG텔레콤, 동부화재, 여천NCC, SK건설, 삼성에스코, 삼성SDI, 삼성토탈, 현대하이스코, 한국남부발전, 동국제강, 아시아나항공, 롯데건설, 포스코건설, 한화, SK가스, ING생명, 위아, 삼성테크윈, 대우자판메, 쌍용자동차, 제일모직, 한국서부발전, 한국동서발전, 신한카드, 현대미포조선, 르노삼성자동차, 현대산업개발, GS리테일, 대우증권, 신한지주금융, 삼성전기, 현대삼호중공업, 우리투자증권, 비씨카드, 메리츠화재, 글로비스, 한화석유화학, 삼성카드, 현대증권, 로보토보쉬, 씨티클럽증권, 한독약품, 제일기획, 리츠칼튼, 유엔젤, 삼성개발, CJ, 코오롱, 오리온, GS마켓, 종로학원, 김영사, 아토, 코엔텍, 휴스틸, 블루클럽, 한국콘베어, 디시페로 신진화학 등 2000여 대중소기업

은행

KB국민은행, 우리은행, 신한은행, 산업은행, SC제일은행, 하나은행, 기업은행, 한국외환은행, 한국씨티은행, 농협, 수협, 축협 등

관공서

금융감독원, 검찰청, 국세청, 경찰청, 법무부, 식약청, 보건복지부, 교육청, 서울시, 각 구청, 서울시, 수원시, 인천시, 안동시, 제주시, 안양시, 거제시, 상주시, 만항위교육장, 한국과학기술원평가원, 보통교육연구원, 각 지역 교육연수원, 한국교육개발원, 농업기술센터, 농업기반공사, 국립공원관리공단, 국립특수교육원, 건설교통인재개발원 한국증권업협회 등 200여개 기관

병원

서울대병원, 서울아산병원, 삼성서울병원, 연세대세브란스병원, 가톨릭대 서울성모병원, 아주대병원, 고려대안암병원, 한양대병원, 중앙대병원, 신한복자정형외과, 순천향병원, 보훈병원, 봄빛병원, 이다치과, 소리이비인후과, 영신의료법인 등

대학교 특강 (교양, 최고경영자과정, 명사특강)

서울대, 연세대, 고려대, 중앙대, 한양대, 서강대, 포스텍, 카이스트, 경희대, 인하대, 이화여대, 조선대, 안동대, 건국대, 동아대, 충주대, 대전대, 청주대, 대진대, 한국산업기술대, 금오공과대, 아주대, 경기대, 숙명여대, 동국대, 순천대, 전남대, 영남대, 경기대, 경남대, 세종대, 카톨릭대, 경북대, 부경대, 창원대, 목포대, 광주여대, 한국해양대, 세명대, 숭실대, 광운대, 울산대, 국민대, 제주대, 서울시립대, 단국대, 군산대, 강성대, 대구대, 동아방송예대, 동의과학대, 백석대, 백석예술대, 폴리텍대, 인천대 등 150여개 대학교

35

최보규 방탄강사 창시자

저는 입으로 강의하지 않겠습니다.
제 삶으로 강의하겠습니다.
저는 가르치지 않겠습니다.
제 삶으로 가르치겠습니다.
최보규강사는 명강사, 스타강사가 아닙니다!
그래서 한 달에 15권 책을 보고 메모하며
강의 준비, 솔선수범 하고 있습니다!
최보규강사 보다 강의 잘하는 사람은 많습니다!
다만 최보규강사 만큼 학습자를
사랑하는 강사는 세상에 없을 것입니다!

최보규 방탄동기부여 신조

들어라 하지 말고 듣게 하자.
누구처럼 살지 말고 나답게 살자.
좋아하게 하지 말고 좋아지게 하자.
마음을 얻으려 하지 말고 마음을 열게 하자.
믿으라 말하지 말고 믿을 수 있는 사람이 되자.
좋은 사람을 기다리지 말고 좋은 사람이 되어주자.
보여주는(인기) 인생을 사는 것이 아닌
보여지는(인정) 인생을 살아가자.
나 이런 사람이야 말하지 않아도
이런 사람이구나 몸, 머리, 마음으로 느끼게 하자.

경력은 실력이 아닙니다! 최보규 강사는 경력만으로 강의하지 않습니다!
책을 읽고 메모하며 책을 출간 했다고 강의 내공이 좋은 건 아닙니다!
하지만 책 2,032권, 메모 7,626개, 습관 320가지, 책 100권 출간 내공으로
강의하는 강사에 강의 내공은 단언컨대 "세계 최고"일 것입니다!

15년 2,032권 읽음

15년 7,626개 메모

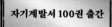

자기계발서 100권 출간

45년 방탄 습관 320가지

38

최보규 강사 11계명

1. 학습자에게 섬김을 받으려는 강의가 아닌 학습자를 섬길 수 있는 강의를 하겠습니다.
2. 오늘이 마지막 날인 것처럼 강의하고 영원히 살 것처럼 학습자에게 배우겠습니다.
3. 강의 있는 전날에는 최상의 컨디션을 유지 하기 위해 건강관리, 목 관리, 자기관리 하겠습니다.
4. 강의장 1시간 전에 도착해서 강의 마음가짐 준비하겠습니다.
5. 강의장 가장 먼저 도착 강의 끝난 후 가장 늦게 나오겠습니다.
6. 내 삶이 강의고 강의가 내 삶이 되도록 행동하겠습니다.
7. 힘들게 배운 강의 노하우들 아낌없이 주겠습니다.
8. 어떻게 하면 학습자에게 즐거움? 행복? 메시지? 감동? 희망? 사랑?을 줄 것인가에 항상 생각 하며 공부하겠습니다.
9. TV보다 책을 더 보겠습니다. 10. 공인이라는 마음으로 솔선수범하겠습니다.
11. 강사의 자존심 아침에 나올 때 신발장에 넣고 나오겠습니다.

방탄강사 백신

★ 잘난 강사가 되지 않고 진실한 강사가 되겠습니다! 잘난 강사는 피하고 싶어지지만 진실한 강사는 곁에 두고 싶어집니다!

★ 대단한 강사가 되지 않고 좋은 강사가 되겠습니다! 대단한 강사는 부담을 주지만 좋은 강사는 행복을 줍니다

★ 멋진 강사가 되지 않고 따뜻한 강사가 되겠습니다! 멋진 강사는 눈을 즐겁게 하지만 따뜻한 강사는 마음을 데워 줍니다.

★ 유명한 강사가 되지 않고 필요한 강사가 되겠습니다! 유명한 강사는 환상을 주지만 필요한 강사는 배움, 성장, 지혜를 줍니다.

Best 6

검증된 방탄 PT 분야

동기부여 방탄 PT

<저자 최보규>

자격증 발급기관

앞도적 차이를 만드는 방탄 PT!
앞서가는 사람은 방탄 PT 받는다!

☑ 7대 동기부여 PT	☑ 멘탈 동기부여 PT
☑ 비전 동기부여 PT	☑ 습관 동기부여 PT
☑ 열정 동기부여 PT	☑ 긍정 동기부여 PT
☑ 목표 동기부여 PT	☑ 인간관계 동기부여 PT
☑ 자존감 동기부여 PT	☑ 행복 동기부여 PT
☑ 자신감 동기부여 PT	☑ 스피치 동기부여 PT
☑ 변화 동기부여 PT	☑ love 동기부여 PT
☑ 성장 동기부여 PT	☑ Smile 동기부여 PT

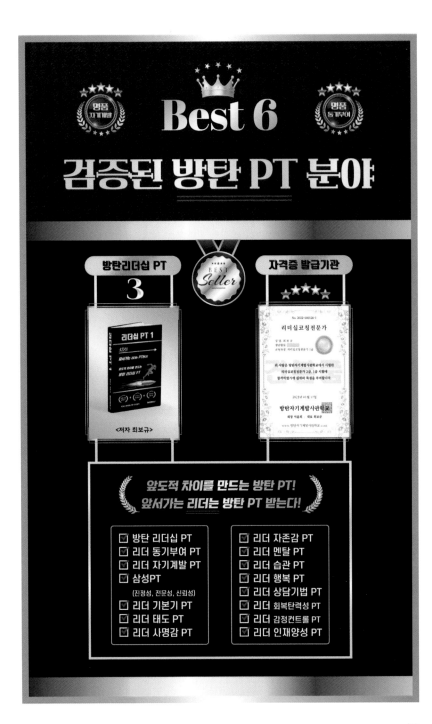

Best 6

검증된 방탄 PT 분야

방탄 강사 방탄 PT
5

<저자 최보규>

자격증 발급기관

앞도적 차이를 만드는 방탄 PT!
앞서가는 강사는 방탄 PT 받는다!

- ☑ 강사 7대 의무교육 PT
- ☑ 강사 인성, 매너 PT
- ☑ 강사 품위유지의무 PT
- ☑ 강사 1~3년차 PT
- ☑ 강사 3~10년차 PT
- ☑ 강사 10~20년차 PT
- ☑ 강사료 UP PT
- ☑ 비수기 극복 PT

- ☑ 강사 스킬UP PT
- ☑ 강사 SPOT 기법 PT
- ☑ 강사 스토리텔링 기법 PT
- ☑ 강사, 작가 트레이닝 PT
- ☑ 강사 양성 매뉴얼 제작 PT
- ☑ 강의 분야 개발 PT
- ☑ 강사 코칭 시스템 제작 PT
- ☑ 강의 영상 제작 PT

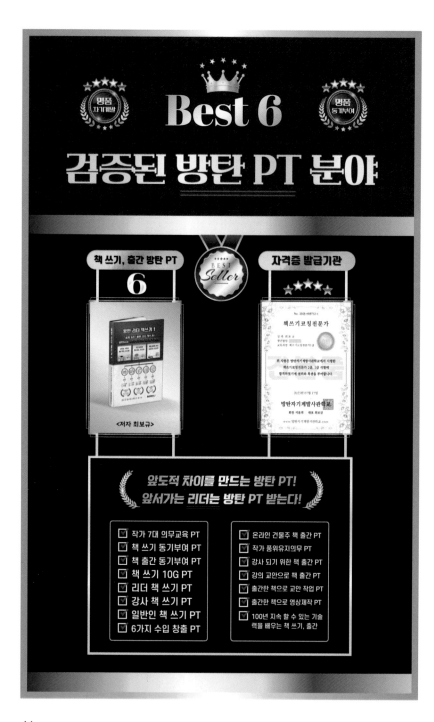

★★★★★ 차별이 아닌 초월 시스템 ★★★★★

타사와 비교불가 초월 혜택!
자신 분야 온라인 건물주가 되어 100년 수입 창출!

| Google 자기계발아마존 | ▶YouTube 방탄자기계발 | NAVER 방탄동기부여 | NAVER 최보규 |

이코노미 PT

기본 5H : 500,000원

CHECK POINT

☑ 기본 1회(1일=5H)

☑ 6가지 수입 창출 시스템 매뉴얼 설명

☑ 150년 A/S

★★★★★ **차별이 아닌 초월 혜택** ★★★★★

Google 자기계발아마존	▶YouTube 방탄자기계발	NAVER 방탄동기부여	NAVER 최보규

이코노미 PT

기본 5H : 500,000원

- ☑ 150년 A/S (세계 최초)
- ☑ 마스터한 분야 자격증 1종 취득
- ☑ 방탄자기계발사관학교 강사 위촉
- ☑ 방탄자기계발사관학교 마스터 위촉
- ☑ 비지니스 PT 10% 할인
  (10만원 상당)
- ☑ 퍼스트클래스 PT 10% 할인
  (30만원 상당)
- ☑ 마스터한 분야 실전 2시간 강의
  교안 제공. (강사료 200만원 상당)

특허청 등록
최보규 자기계발코칭 창시자
등록 번호: 제 40-2072344 호

★★★★★ 차별이 아닌 초월 시스템 ★★★★★

타사와 비교불가 초월 혜택!
자신 분야 온라인 건물주가 되어 100년 수입 창출!

Google 자기계발아마존   ▶YouTube 방탄자기계발   NAVER 강사야   NAVER 최보규

비지니스 PT

기본 5H : 500,000원

CHECK POINT

☑ 기본 1회(2~3일=10H)
☑ 6가지 수입 창출 시스템 실전 훈련
☑ 150년 A/S, 피드백

명품
자기계발

명품
동기부여

★★★★★ **차별이 아닌 초월 혜택** ★★★★★

| Google 자기계발아마존 | ▶YouTube 방탄자기계발 | NAVER 방탄동기부여 | NAVER 최보규 |

비지니스 PT

기본 10H : 1,000,000원

☑ 150년 A/S, 피드백

☑ 마스터한 분야 자격증 1종 취득

☑ 방탄자기계발사관학교 전임 강사 위촉

☑ 방탄자기계발사관학교 전임 마스터 위촉

☑ 퍼스트클래스 PT 10% 할인
(30만원 상당)

☑ 강사 맞춤 트레이닝 비대면 1회 제공
(50만원 상당)

☑ 마스터한 분야 실전 2시간 강의 교안
제공, 1:1 맞춤 교안 설명
(강사료 200만원 / 1:1 맞춤 100만원 상당)

★★★★★ 차별이 아닌 초월 혜택 ★★★★★

| Google 자기계발아마존 | ▶YouTube 방탄자기계발 | NAVER 방탄동기부여 | NAVER 최보규 |

퍼스트클래스 PT

기본 15H : 3,000,000원~

☑ 150년 A/S, 피드백, VIP맞춤 관리

☑ 자격증 3종 취득 (150만원 상당)

☑ 방탄자기계발사관학교 지회장 위촉

☑ 종이책, 전자책 출간 후 네이버 인물 등록

☑ 20H, 30H, 40H, 50H PT 20% 할인

☑ 강사 맞춤 트레이닝 대면 1회 제공
　(50만원 상당)

☑ 프로필 유튜브 홍보 영상 제작
　(100만원 상당)

☑ 마스터한 분야 풀 패키지 (교안 제공,
　1:1 맞춤 교안 설명, 청강 1회 제공)
　(강사료 200만원 / 1:1 맞춤 100만원 /
　청강 1회 200만원 상당)

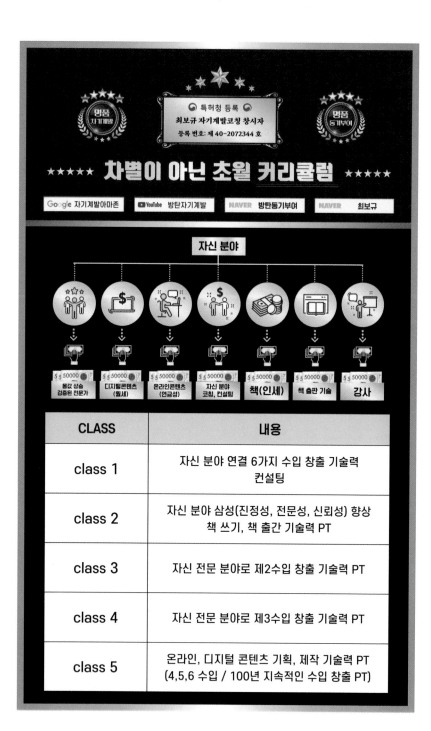

차별이 아닌 초월 커리큘럼

CLASS	내용
class 1	자신 분야 연결 6가지 수입 창출 기술력 컨설팅
class 2	자신 분야 삼성(진정성, 전문성, 신뢰성) 향상 책 쓰기, 책 출간 기술력 PT
class 3	자신 전문 분야로 제2수입 창출 기술력 PT
class 4	자신 전문 분야로 제3수입 창출 기술력 PT
class 5	온라인, 디지털 콘텐츠 기획, 제작 기술력 PT (4,5,6 수입 / 100년 지속적인 수입 창출 PT)

스마트폰 사용하지 않아도
배터리가 소모되듯
리더십 또한 숨만 쉬어도
소모가 된다.
꾸준히 리더십 충전을 해야 한다.

- 최보규 방탄리더십 일타강사 -

만나서 반갑습니다!
좋은 일이 생길 거예요!

가슴이 설레는 만남이 아니어도 좋습니다.
가슴이 떨리는 운명적인
만남이 아니어도 좋습니다.
만남 자체가 소중하니까요!

최보규 방탄리더십 창시자

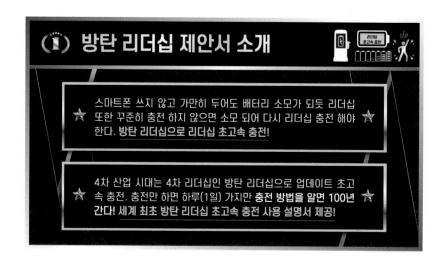

① 방탄 리더십 제안서 소개

⭐ 스마트폰 쓰지 않고 가만히 두어도 배터리 소모가 되듯 리더십 또한 꾸준히 충전 하지 않으면 소모 되어 다시 리더십 충전 해야 ⭐ 한다. **방탄 리더십으로 리더십 초고속 충전!**

⭐ 4차 산업 시대는 4차 리더십인 방탄 리더십으로 업데이트 초고 속 충전. 충전만 하면 하루(1일) 가지만 **충전 방법을 알면 100년** ⭐ 간다! 세계 최초 방탄 리더십 초고속 충전 사용 설명서 제공!

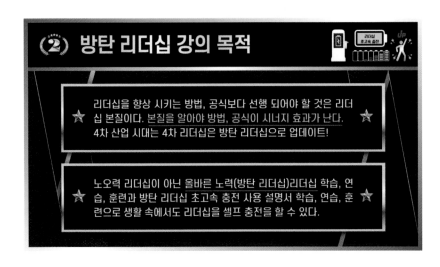

② 방탄 리더십 강의 목적

리더십을 향상 시키는 방법, 공식보다 선행 되어야 할 것은 리더십 본질이다. 본질을 알아야 방법, 공식이 시너지 효과가 난다. 4차 산업 시대는 4차 리더십은 방탄 리더십으로 업데이트!

노오력 리더십이 아닌 올바른 노력(방탄 리더십)리더십 학습, 연습, 훈련과 방탄 리더십 초고속 충전 사용 설명서 학습, 연습, 훈련으로 생활 속에서도 리더십을 셀프 충전을 할 수 있다.

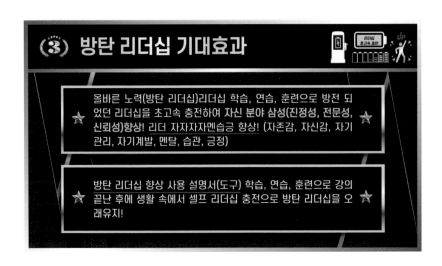

③ 방탄 리더십 기대효과

올바른 노력(방탄 리더십)리더십 학습, 연습, 훈련으로 방전 되었던 리더십을 초고속 충전하여 자신 분야 삼성(진정성, 전문성, 신뢰성)향상! 리더 자자자자멘습금 향상! (자존감, 자신감, 자기관리, 자기계발, 멘탈, 습관, 긍정)

방탄 리더십 향상 사용 설명서(도구) 학습, 연습, 훈련으로 강의 끝난 후에 생활 속에서 셀프 리더십 충전으로 방탄 리더십을 오래유지!

(4) 방탄 리더십 커리큘럼

구분	주제	강의내용	시간
방탄 리더십	CLASS 1 방탄 리더십 본질	노벨상 수상자 리더십, 성공한 리더의 리더십은 다 잊어라! 4차 산업 시대는 4차 리더십인 방탄 리더십 업데이트를 통해 천재지변 리더가 아닌 천재일우 리더	30분
	CLASS 2 방탄 리더 자존감, 멘탈	스트레스 관리, 마인드컨트롤이 잘 되는 리더 자존감, 멘탈 배터리 고속 충전하는 방법	30분
	CLASS 3 방탄 리더 습관, 행복	삼성(진정성, 전문성, 신뢰성)을 높이는 습관을 통해 리더 행복을 지키는 방법	20분
	CLASS 4 방탄 리더 자기계발 방탄 리더 동기부여	리더 자기계발,동기부여책 200권, 영상 300개, 교육을 들어도 리더 자기계발,동기부여가 안 되는 이유? 방탄 리더십 셀프 충전 사용 설명서 (도구 설명)	10분
	CLASS 5 방탄 리더 품위유지의무	퇴사를 막고 인재가 오래 머물게 하는 방탄 리더 품위유지의무 10계명 / 총 정리	30분

누구나 리더십 충전은 하지만
방탄 리더십 초고속 충전할 수 있는 사람은
최보규 방탄리더십 전문가분이다.
충전만 하면 하루(1일) 가지만 충전 방법을 알면 100년 간다!

방탄 리더십
초고속 충전

UP

라포 형성
(Rapport building)
강의 집중 기법

★ ★ ★ ★ ★

방탄 리더십

방탄 리더 1명이
10만 명을 변화 시킨다!

★ **1+4를 주는 가성비강의!** ★
(강의 메시지+즐거움+스토리텔링+감동+실천 사용 설명서 제공)

★ ★ ★ ★ ★

리더는
누구나 되지만
방탄 리더는
아무나 될 수 없다!

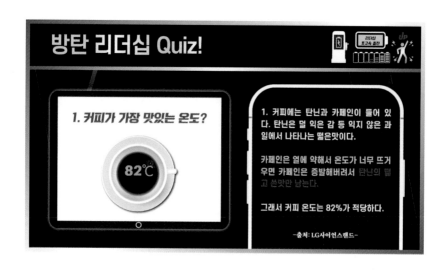

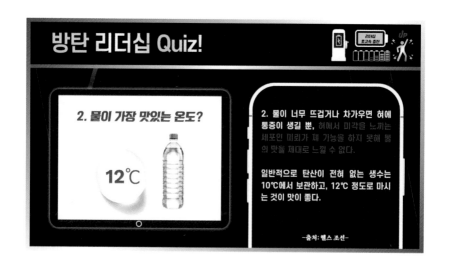

방탄 리더십 Quiz!

1. 커피가 가장 맛있는 온도?
2. 물이 가장 맛있는 온도?
3. 강의 집중도가 높아지는 온도?

82℃　　12℃　　강의 듣는 태도

3. 20,000명 심리 상담, 코칭 하면서 알게 된 것은 앞자리에서 말하는 위치에 있는 사람들(CEO, 리더, 교수, 선생님, 강사...)역지사지 상황이 왔을 때 태도를 보면 변질되고 있는 리더인지 변화하는 리더인지 알 수 있다.

－출처: 방탄자기계발사관학교－

방탄 리더십 태도

1. 커피가 가장 맛있는 온도?
2. 물이 가장 맛있는 온도?
3. 강의 집중도가 높아지는 온도?

82℃　　12℃

앞자리에서 말하는
사람들이 청중에게 바라는 것!

1. 잘 들었으면 좋겠다.
2. 호응 잘해줬으면 좋겠다.
3. 알고 있는 내용과 비슷할지라도 다름을 찾아 배웠으면 좋겠다.

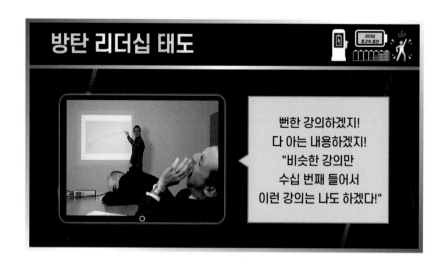

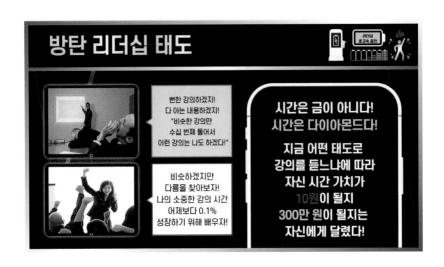

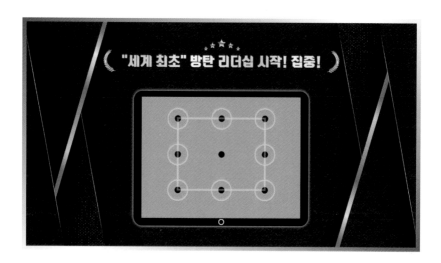

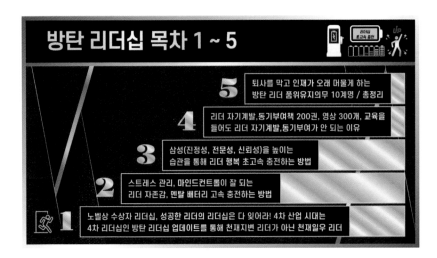

리더는 사라져도
방탄리더십은 100년 간다!

- 최보규 방탄리더십 일타강사 -

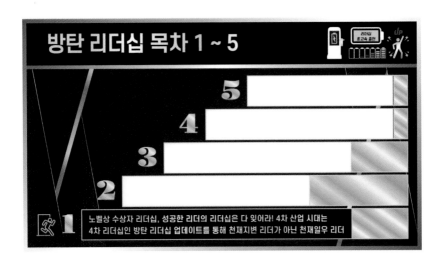

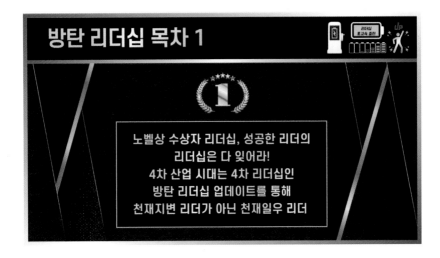

세계 인구 80억 명
80억 개의 리더십이 있다!

나 다 운 리 더 십

노벨상 수상자 리더십
성공한 리더십보다
선행되어야 할 것은
나다운 리더십
(방탄 리더십)이다!

나다운 리더십(방탄 리더십)
스토리텔링!

옛날 토끼 마을에 왕 토끼가
있었다. 토끼들을 이끄는데
어려움 겪고 있는 상황에서
전환점이 필요했다.

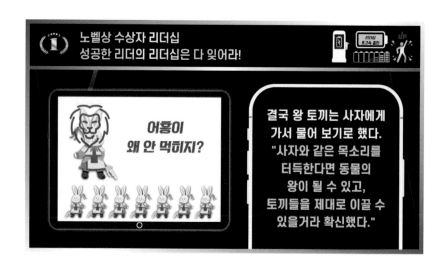

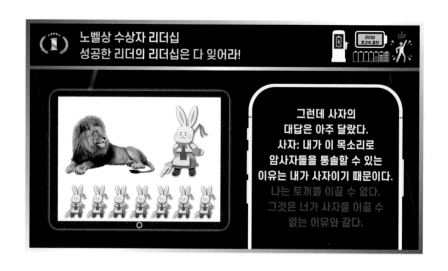

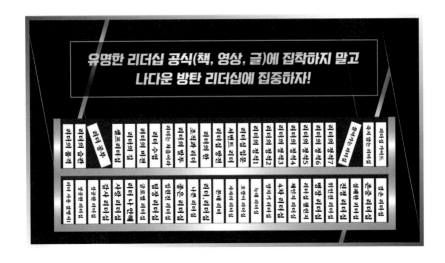

옛날 토끼 마을에 왕 토끼가 있었다.

평소 토끼들을 제대로 이끄는 데 어려움을 겪고 있다 보니 자신에게 뭔가 다른 것이 필요하다고 생각했다.

그 시점에 사자가 마치 천둥과 같은 목소리로 수많은 암사자들을 일사불란하게 이끌고 있는 것을 보고 사자의 털과 목소리를 흉내내기 시작했다.

왕 토끼는 사자의 모습과 목소리를 흉내 냈으나 그렇다고 해서 토끼들을 이끄는 데 어려움은 과거보다 더 힘들었다. 결국 왕 토끼는 사자에게 가서 물어보기로 했다. 사자와 같은 목소리를 터득하는 방법을 알려달라고 했다. 사자와 같은 목소리를 터득한다면 동물의 왕이 될 수 있고, 토끼들을 제대로 이끌 수 있다고 생각했기 때문이다. 근데, 사자의 생각은 아주 달랐다.

'내가 이 목소리로 암사자들을 통솔할 수 있는 이유는 내가 사자이기 때문이다. 나는 토끼를 이끌 수 없다. 그것은 네가 사자를 이끌 수 없는 이유와 같다. 네가 토끼들을 잘 이끌기 위해서는 무엇보다도 너는 완전한 토끼가 되어야 한다."

"네가 어떻게 하면 훌륭한 왕 토끼가 될 수 있는지는 누구도 아닌 네가 함께 생활하는 토끼들이 잘 알고 있을 것이다. 괜히 여기서 시간을 낭비하지 말고 그들에게 다

가가서 직접 물어보아라. 그리고 그들의 이야기를 귀 기
울여 가슴 깊이 들어라."

《부하직원이 말하지 않는 31가지 진실》

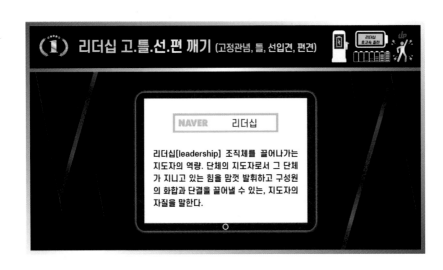

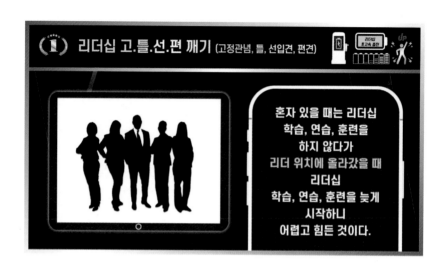

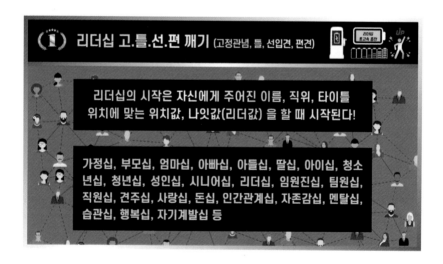

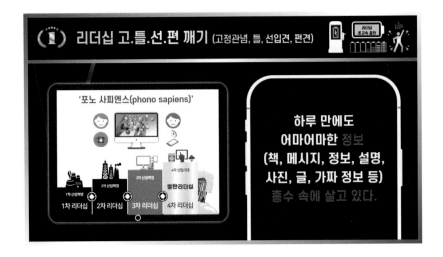

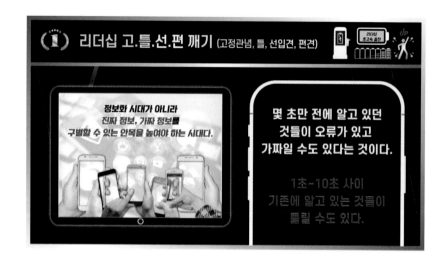

▶ 스토리텔링 전체 내용!

데이터의 1bit가 8개 모이면 1바이트(byte)가 된다. 그게 1000개 모이면 1킬로바이트, 그게 다시 1000개 모이면 1메가이트. 그렇게 1000배가 될 때마다 기가바이트, 테라바이트, 페타바이트, 엑사바이트, 제타바이트, 요타바이트, 브론토 바이트 등으로 확장된다. 지구상의 모든 모래알 수는 얼마일까. 40제타바이트다. 2003년 구글의 에릭 슈미츠 회장이 3000년 동안 지구상에 쌓인 문서를 모두 디지털화했다고 발표했다. 그게 5엑사바이트였다. 미국 국회도서관 5000개 분량의 데이터다."

이 말끝에 킴킴은 질문을 던졌다. "인류가 3000년 동안 쌓은 5엑사바이트의 데이터를 생산하는데 2017년에는 얼마나 걸렸을까? 하루가 걸렸다. 날마다 그만큼의 데이터가 축적되는 셈이다. 지금(2019년)은 얼마나 걸리는지 아나? 1분밖에 안 걸린다. 그럼 2020년에는 얼마나 걸릴까. 딱 10초다. 저녁 먹고 인증샷을 페이스북에 올릴 때마다 빅데이터가 생산된다. 빅데이터는 무시무시한 속도로 확장되고 있다. 과학자로서, 엔지니어로서 나는 그게 무섭다."

<중앙일보 마이크로소프트사 킴킴 "빅데이터와 인공지능, 그리고 명상">

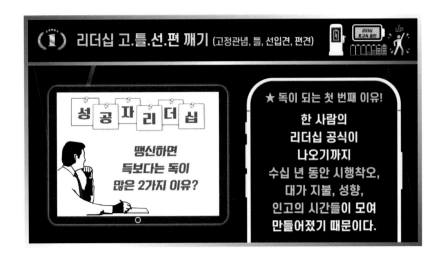

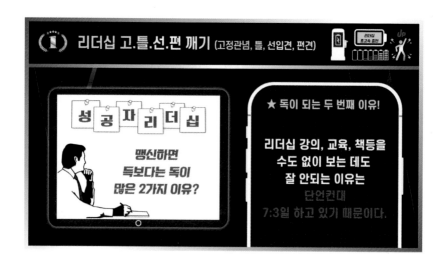

겉은 화려한데 왠지 모를 허무함을 느낀다면?

꽃이 자꾸 시든다. 꽃잎에 물도 뿌려보고, 줄기도 정성스레 닦아준다. 그래도 꽃은 시든 채로 있다. 그래서 꽃을 바꾼다. 하지만 얼마 안 가 또다시 꽃이 시들고, 전과 같은 과정을 반복하며, 꽃을 열심히 살려보려 노력하지만, 또 실패한다. 화가 나서 화분을 바닥에 내리친다. 그리고선 깨닫는다. 뿌리가 썩어있었다는 것을 눈에 보이는 현상이 아니라, 눈에 보이지 않은 본질이 썩어 있다면, 처음엔 화려할 수 있으나, 시간이 지날수록 시들어 버린다는 것을 마침내 깨닫는다. 당신은 꽃잎을 가꾸고 있는가? 뿌리를 가꾸고 있는가?

눈에 보이는 현상에 집중하느라 본질이 흐려지는 것은 아닌가?

<facebook.com/ggumtalk>

생쥐가 한 마리가 있었다. 생쥐는 늘 고양이를 무서워하며 살았다. 마법사에게 찾아가 고양이의 천적인 개로 만들어 달라고 했다. 레드썬! 개의 모습이 되어 고양이 앞에 갔는데 또 무서움이 사라지지 않았다.

마법사에게 찾아가 호랑이로 만들어 달라고 했다. 레드썬! 호랑이의 모습이 되어 고양이 앞에 갔는데 또 무서움이 사라지지 않았다.

마법사에게 찾아가서 사람으로 만들어 달라고 했다. 레드썬! 사람의 모습이 되어 고양이 앞에 갔는데 또 무서움이 사라지지 않았다.

결국 생쥐를 도와줬던 마법사가 사람이 된 생쥐를 다시 본래의 생쥐를 만들어 주면서 이렇게 말했다.

"너의 모습이 아무리 좋게 바뀌어도 생쥐의 가슴을 가지고 있는 한 그때뿐이다".

　　　《마음을 밝혀주는 소금 1》 내용 각색

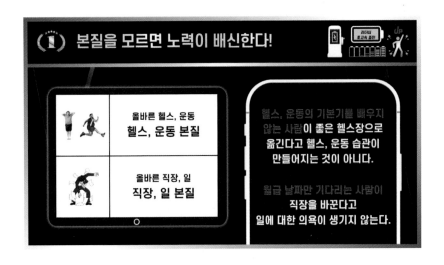

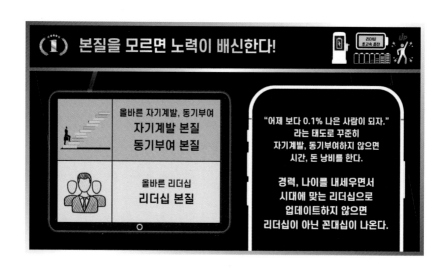

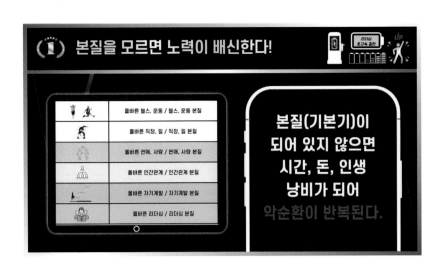

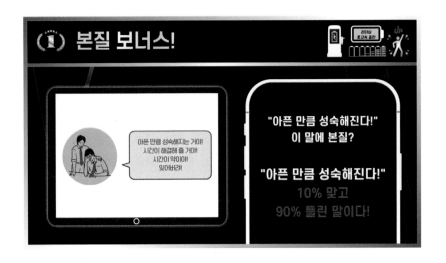

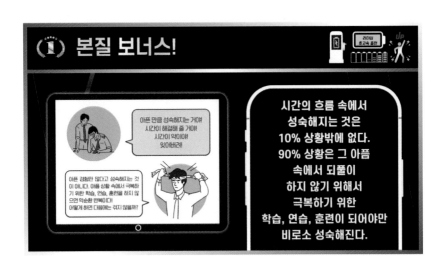

107

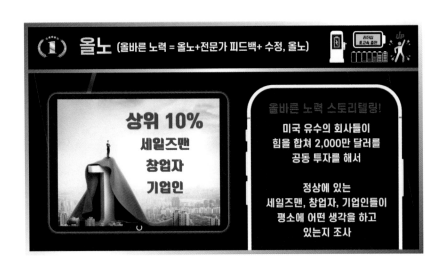

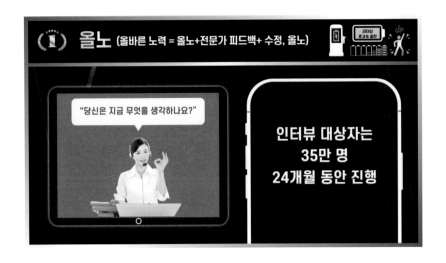

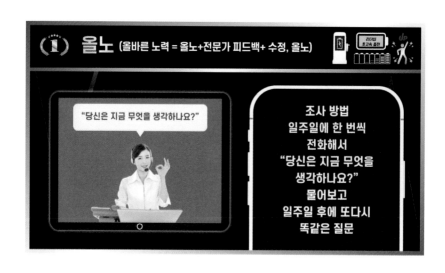

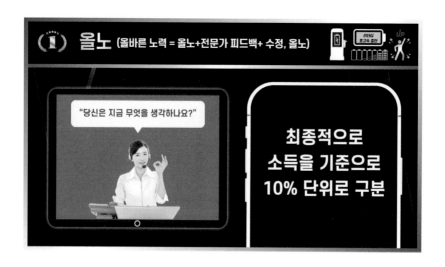

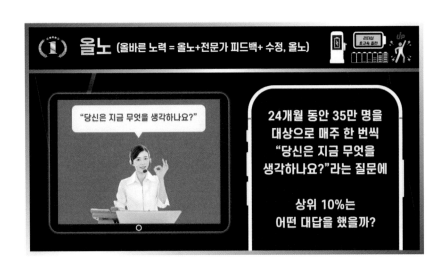

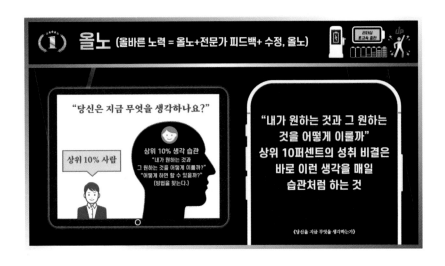

▶ 스토리텔링 전체 내용!

당신은 지금 어떤 생각을 하고 무엇을 이룰 것인가?
미국 유수의 회사들이 힘을 합쳐 2,000만 달러를 투자,
정상에 있는 세일즈맨, 창업자, 기업인들이 평소에 어떤
생각을 하고 있는지 조사한 적이 있다.

인터뷰 대상자는 무려 35만 명이었고, 조사는 24개월
동안 진행되었다. 조사 방법은 간단했다. 일주일에 한
번씩 전화해서 "당신은 지금 무엇을 생각하나요?"를
물어보고, 일주일 후에 또다시 똑같은 질문을 하는 것이
다. 시간이 흐르고 데이터가 쌓이면서 차츰 인터뷰 대상

자들의 프로파일이 잡혀갔다. 최종적으로 소득을 기준으로 10퍼센트 단위로 구분해 보았다.

24개월 동안 35만 명을 대상으로 매주 한 번씩 "당신은 지금 무엇을 생각하나요?"라는 질문에 상위 10퍼센트는 어떤 대답을 했을까? 그들의 대답은 다름 아닌 "내가 원하는 것과 그 원하는 것을 어떻게 이룰까"였다.

대부분의 시간을 '내가 원하는 것과 그것을 어떻게 이룰까'를 생각하는 것! 상위 10퍼센트의 성취 비결은 바로 이런 생각을 매일 습관처럼 하는 것이었다.

《당신을 지금 무엇을 생각하는가》

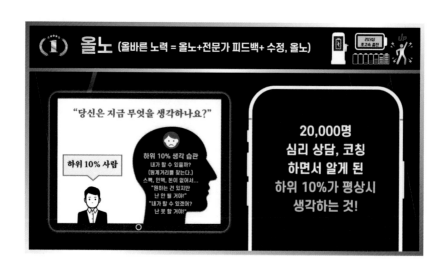

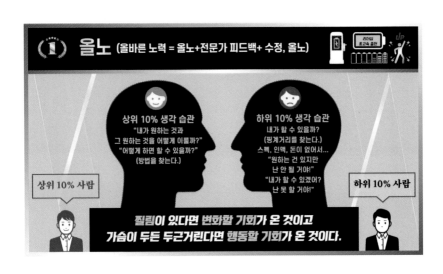

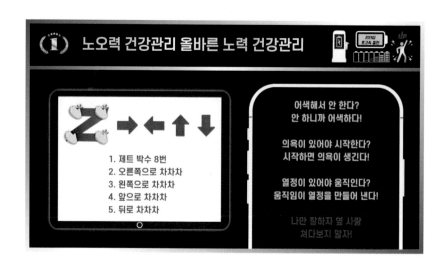

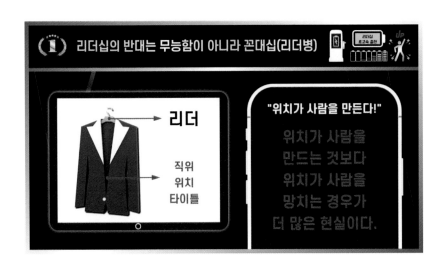

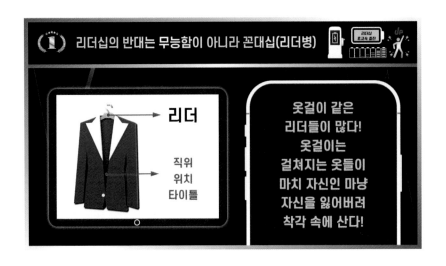

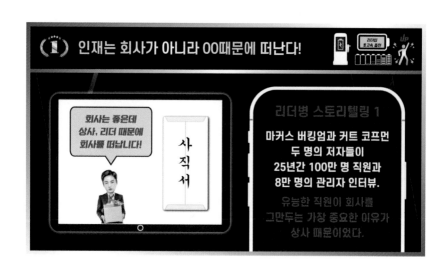

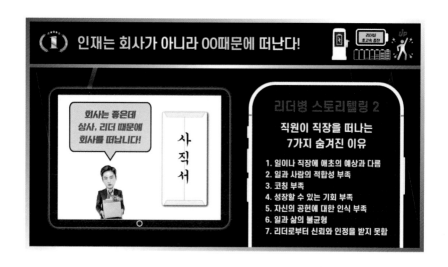

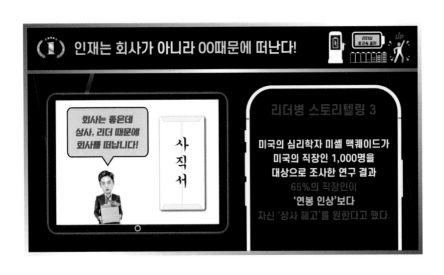

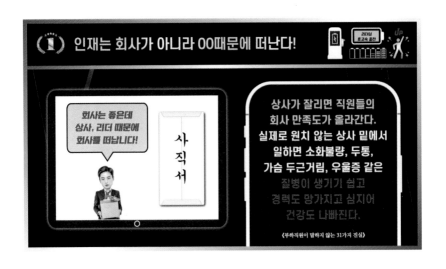

그들은 회사가 아니라 리더를 떠난다. 평생직장이라는 개념이 사라지고 있다.

어느 신문 조사에 의하면 직장에 다니는 사람들 중 무려 50%가 이직 이란 단어를 염두에 두고 있다고 한다. 그리고 연봉을 얼마나 올려주면 이직하겠느냐는 질문에는 평균 430만 원을 적었다고 한다. 왜 절반에 가까운 직장인들이 한 달에 35만 원만 더 주면 기꺼이 자신이 몸담았던 회사를 떠날 수 있다고 대답했을까?

더 높은 연봉? 더 좋은 커리어? 아니면 비전을 찾아서? 이와 관련해 두 권의 흥미로운 책을 소개할까 한다.

첫 번째는 마커스 버킹엄과 그의 동료 커트 코프먼이 쓴 (유능한 관리자)라는 책이다.

이 책은 미국에서 150만 부 넘게 팔린 베스트셀러로, 저자들은 뛰어난 직원들은 직장에서 무엇을 원하는가? 라는 질문에 대한 해답을 찾기 위해 25년 100만 명이 넘는 직원과 8만여 명의 관리자들을 인터뷰했다.

저자들이 내린 결론 중 하나는 불행히도 유능한 직원이 회사를 그만두는 가장 중요한 이유는 상사 때문이라는 것이다. 다시 말하면 직원들은 회사를 떠나는 것이 아니라 함께 일하던 상사를 떠난다.

당신도 잠시 생각해 보자. 직장 생활을 적어도 10년쯤 한 분들이라면 치밀어 오르는 화를 못 참고 진짜 때려 치우든지 해야지라는 생각을 몇 번쯤은 했을 것이다. 왜 그때 그런 생각을 했는지 생각해 보면, 아마 십중팔구 그 인간 때문이었을 게 분명하다.

비슷한 내용의 또 다른 책으로(직원이 직장을 떠나는 7가지 숨겨진 이유)가 있다. 저자는 이 책에서 정작 더 높은 연봉이나 더 좋은 기회 때문에 회사를 떠나는 이들은 많지 않다고 주장한다. 이 두 가지는 이직하는 사람들이 내세우는 단순한 이유일 뿐, 정말 떠나야겠다고 결심하는 이유는 따로 있다는 것이다. 바로 이런 것들이다.

1. 일이나 직장에 애초의 예상과 다름
2. 일과 사람의 적합성 부족
3. 코칭 부족
4. 성장할 수 있는 기회 부족
5. 자신의 공헌에 대한 인식 부족
6. 일과 삶의 불균형
7. 리더로부터 신뢰와 인정을 받지 못함

위에 열거한 내용 또한 대부분이 그 인간 혹은 그 인간의 못난 리더십 때문이란 사실을 금방 눈치챌 수 있을 것이다.

결국 두 책의 내용을 종합하면 직장인들이 회사를 떠나

는 가장 큰 이유는 같이 일하는 상사 때문이라는 결론을 내릴 수밖에 없다.

다시 말해 상사의 리더십 때문이다.

잠시 생각해 보자. 내 직원이나 후배들에게 나는 어떤 상사 혹은 선배일까? "회사는 그저 그렇지만 저분 때문에 내가 여기에 있는다."라는 생각을 만드는 존재일까? 아니면 "회사는 좋지만 저 인간 때문에 언젠가는 그만둔다."라고 생각하게 만드는 존재일까?

《사람을 남겨라》

미국의 심리학자 미셸 맥퀘이드가 미국의 직장인 1,000명을 대상으로 조사한 연구 결과, 65%의 직장인이 '연봉 인상'보다도 자신의 '상사 해고'를 원한다고 했다. 상사가 잘리면 직원들의 회사 만족도가 올라간다는 말이다. 실제로 원치 않는 상사 밑에서 일하면 소화불량, 두통, 가슴 두근거림, 우울증 같은 질병이 생기기 쉽다고 한다. 직원 입장에서는 원치 않는 상사와 일하게 되면 경력도 망가지고 심지어 건강도 나빠지는 셈이다. 전생의 원수는 회사에서 만난다는 말이 사실이라면 이런 경우가 아닐까?

《부하직원이 말하지 않는 31가지 진실》

긍정보다 70배 강력한 힘

누군가가 무언가를 크게 말을 하면, 그냥 생각만 했을 때보다 10배가 더 강해집니다. 조지타운 대학의 프리스틴 포라와 하버드 자료에 의하면 부정은 4~7배 더 강력했습니다. 무언가를 크게 말하면 10배이고, 그게 부정이면 곱하기 4배에서 7배 강해요. 그러면 제가 부정적인 것을 크게 말하면 40~70배 더 일어날 확률이 크거나 나에게 나쁜 것을 초래할 겁니다.

첫 번째, 당신의 말은 강력합니다.

두 번째, 행동이 성공을 아주 보장합니다.

많은 사람들은 감정이 행동을 좌지우지하게 둡니다. 행동을 주체에 놓고 말이죠. 행동이 바로 당신을 바꾸는 겁니다. 동시에 스스로에게 물어봐야죠. "나는 뭘 원하는지?"그리고 "왜 가지고 있지 않은지?" 어퍼메이션이 중요해요? (어퍼메이션: 인생을 바꾸는 긍정적인 질문) 당연히 중요해요. 내면부터 바꾸는 게 중요해요? 당연하죠. 하지만 그건 시작점이 아니에요.

"머저리 같은 것 좀 입 밖에 내뱉지 말고" 내가 과거를 어떻게 느끼는지가 아닌 " 내가 지금 무엇을 하느냐가" 미래의 내가 누가 될지 결정합니다.

<유튜브 성공 비밀> 트레버 모아와드

긍정 리더십 보다 70배 강력한 리더십?

긍정적인 사람이 되는 것보다
부정적인 사람이 안되는 게
더 빠르고 효과가 더 좋다.

리더십 방법, 공식 보다
중요한 것이
꼰대십(리더병)을 줄이는 것이
더 효가가 있다.

리더십 방법, 공식 보다 선행되어야 할 것이 꼰대십(리더병)을 줄이는 게 먼저다!

이렇게 하면 성공한 리더십이다.
이렇게 하면 좋은 리더십이다.
이렇게 하면 나쁜 리더십이다.
이렇게 하면 서번트 리더가 된다.
이렇게 하면 좋은 리더십을 사칭한다.
이렇게 하면 카리스마틱 리더십이다.
이렇게 하면 코칭 리더십이다.
이렇게 하면 서번트 리더십이다.
이렇게 하면 감성 리더십이다.
이렇게 하면 윤리적 리더십이다.
이렇게 하면 셀프 리더십이다.
이렇게 하면 팀 리더십이다.

꼰대십(리더병) 유형을 알고
꼰대십이 나오지 않게
절제하자!

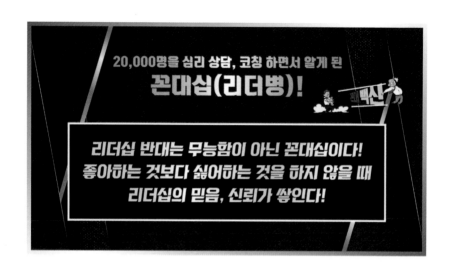

20,000명을 심리 상담, 코칭 하면서 알게 된
꼰대십(리더병)!

- 직원 1명보다 고객 10명, 거래처 10곳이 더 소중하다?
- 본인도 못 했으면서 주제 파악을 못 한다고 훈계만 한다.
- 리더값, 나잇값을 못 한다.
- "나 때는 말이야" (영화 <신세계>, 최민식 버전)
- 언행일치가 99% 안 된다.
- 꼰대가 뭔지 모른다.
- 본인도 하지 않으면서 하길 바란다.
- 격려, 위로, 배려, 존중이 없다.
- 지는 법이 없다. 고집이 세다.
- 자신 방식이 무조건 답이라는 식으로 무조건 따르라고 한다.

20,000명을 심리 상담, 코칭 하면서 알게 된
꼰대십(리더병)!

- 남자, 여자 성별을 따지며 사람을 차별한다.
- 여자, 남자를 밝히고 성희롱적인 말을 물먹듯이 한다.
- 리더가 직원들 눈을 의식하지 않는다.
- 직원들을 월급 충 그 이상으로 생각하지 않는다.
- 월급에 다 포함되어 있으니 '까라면 까라'는 식으로 강요한다.
- 본인도 하던 방법으로만 하면서 새로운 시도를 하길 바란다.
- 속이 좁다, 뺀댕이 소갈딱지다.
- 콤플렉스, 열등감, 자격지심, 상처, 트라우마에 민감하다.
- 눈빛을 보내는 게 아닌 눈총을 준다.
- 리더가 해야 할 일과 내려놓아야 할 일 조절을 못 한다.

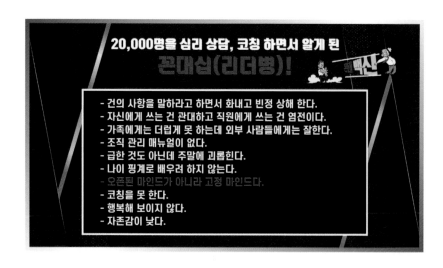

20,000명을 심리 상담, 코칭 하면서 알게 된
꼰대십(리더병)! 백신

- 건의 사항을 말하라고 하면서 화내고 빈정 상해 한다.
- 자신에게 쓰는 건 관대하고 직원에게 쓰는 건 염전이다.
- 가족에게는 더럽게 못 하는데 외부 사람들에게는 잘한다.
- 조직 관리 매뉴얼이 없다.
- 급한 것도 아닌데 주말에 괴롭힌다.
- 나이 핑계로 배우려 하지 않는다.
- 오픈된 마인드가 아니라 고정 마인드다.
- 코칭을 못 한다.
- 행복해 보이지 않다.
- 자존감이 낮다.

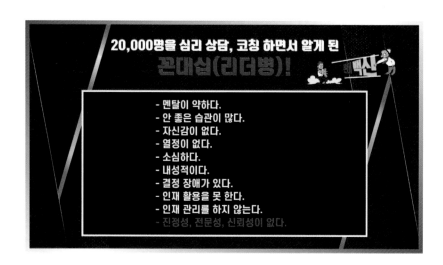

20,000명을 심리 상담, 코칭 하면서 알게 된
꼰대십(리더병)! 백신

- 멘탈이 약하다.
- 안 좋은 습관이 많다.
- 자신감이 없다.
- 열정이 없다.
- 소심하다.
- 내성적이다.
- 결정 장애가 있다.
- 인재 활용을 못 한다.
- 인재 관리를 하지 않는다.
- 진정성, 전문성, 신뢰성이 없다.

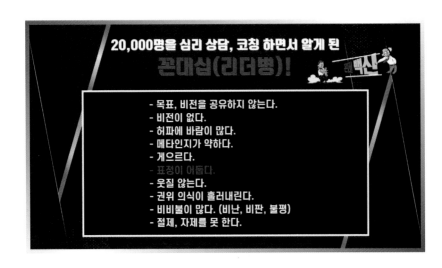

20,000명을 심리 상담, 코칭 하면서 알게 된
꼰대십(리더병)!

- 목표, 비전을 공유하지 않는다.
- 비전이 없다.
- 허파에 바람이 많다.
- 메타인지가 약하다.
- 게으르다.
- 표정이 어둡다.
- 웃질 않는다.
- 권위 의식이 흘러내린다.
- 비비불이 많다. (비난, 비판, 불평)
- 절제, 자제를 못 한다.

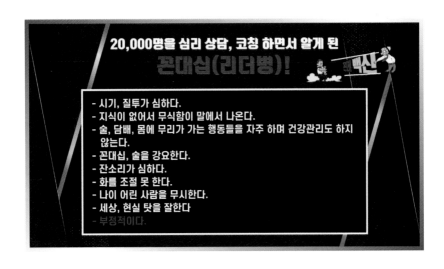

20,000명을 심리 상담, 코칭 하면서 알게 된
꼰대십(리더병)!

- 시기, 질투가 심하다.
- 지식이 없어서 무식함이 말에서 나온다.
- 술, 담배, 몸에 무리가 가는 행동들을 자주 하며 건강관리도 하지
  않는다.
- 꼰대십, 술을 강요한다.
- 잔소리가 심하다.
- 화를 조절 못 한다.
- 나이 어린 사람을 무시한다.
- 세상, 현실 탓을 잘한다
- 부정적이다.

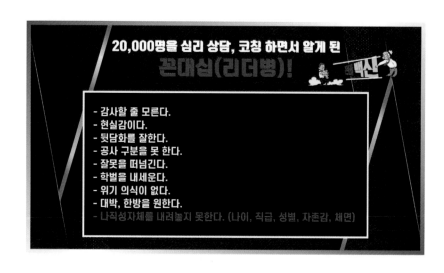

20,000명을 심리 상담, 코칭 하면서 알게 된
꼰대십(리더병)!

- 감사할 줄 모른다.
- 현실감이다.
- 뒷담화를 잘한다.
- 공사 구분을 못 한다.
- 잘못을 떠넘긴다.
- 학벌을 내세운다.
- 위기 의식이 없다.
- 대박, 한방을 원한다.
- 나직성자체를 내려놓지 못한다. (나이, 직급, 성별, 자존감, 체면)

꼰대십 백신을 한 문장으로 정리를 하면

"리더는
제가 좋은 사람이 되고
싶도록 만들어요!"

꼰대십은 죽지 않는다. 다만 회사가 망할 뿐이다!

20,000명 심리 상담, 코칭 하면서 알게 된 것은
꼰대들도 처음부터는 꼰대가 아니었다!

"나는 저런 꼰대가 되지 않아야지!" 말만 하고
꼰대가 되지 않기 위한 학습, 연습, 훈련을 하지 않아서
꼰대로 진화하는지도 모르게 진화한다!

리더십 보다 중요한 것이 꼰대십(리더병) 절제다!

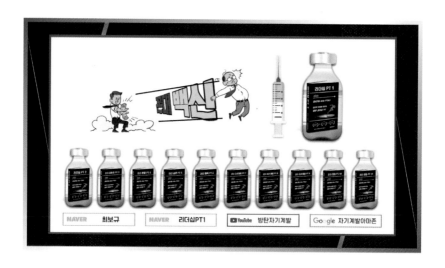

리더십 PT

(리더 동기부여! 리더십은 스펙이다!)

차별화 리더십은 잊어라!
지금부터는 초월 리더십 PT!

앞서가는 리더는 PT한다!

앞도적 차이를 만드는

방탄 리더십 PT

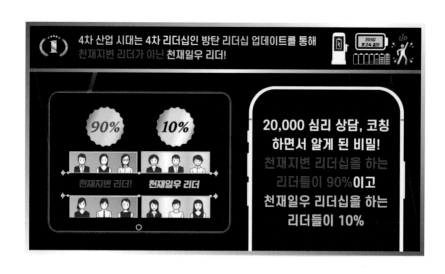

4차 산업 시대는 4차 리더십인 방탄 리더십 업데이트를 통해
천재지변 리더가 아닌 **천재일우 리더!**

90% **10%**

천재지변 리더! **천재일우 리더**

**20,000 심리 상담, 코칭
하면서 알게 된 비밀!**
천재지변 리더십을 하는
리더들이 90%이고
**천재일우 리더십을 하는
리더들이 10%**

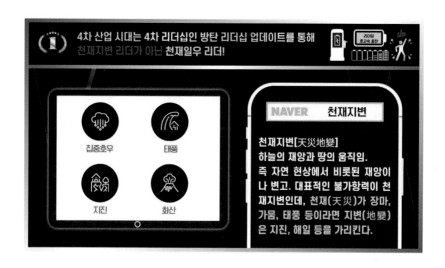

4차 산업 시대는 4차 리더십인 방탄 리더십 업데이트를 통해
천재지변 리더가 아닌 **천재일우 리더!**

NAVER **천재지변**

집중호우   태풍   지진   화산

천재지변[天災地變]
하늘의 재앙과 땅의 움직임.
즉 자연 현상에서 비롯된 재앙이
나 변고. 대표적인 불가항력이 천
재지변인데, 천재(天災)가 장마,
가뭄, 태풍 등이라면 지변(地變)
은 지진, 해일 등을 가리킨다.

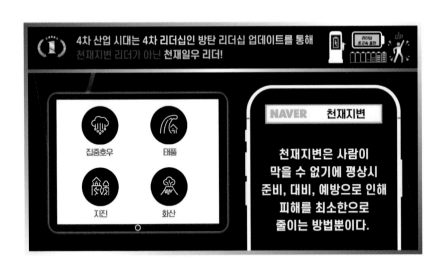

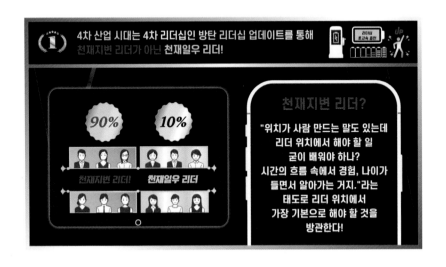

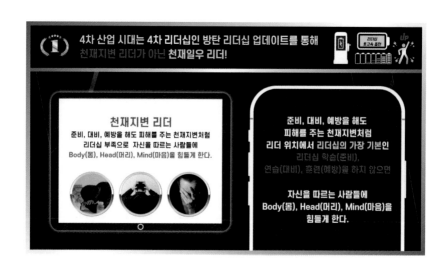

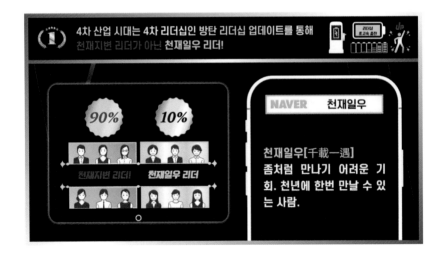

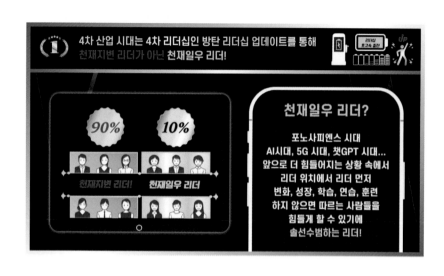

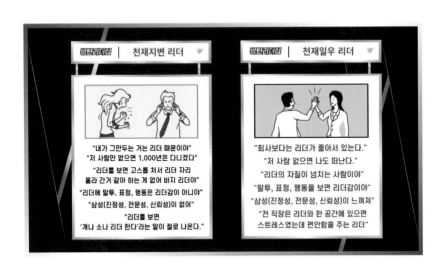

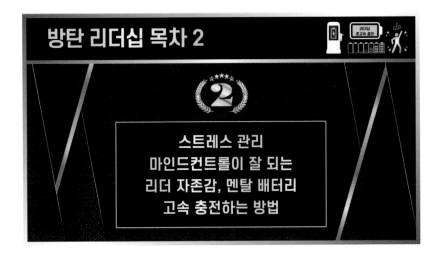

방탄 리더십 목차 2

②

스트레스 관리
마인드컨트롤이 잘 되는
리더 자존감, 멘탈 배터리
고속 충전하는 방법

143

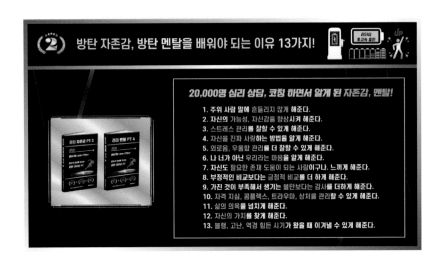

20,000명 심리 상담, 코칭 하면서 알게 된 자존감, 멘탈!

1. 주위 사람 말에 흔들리지 않게 해준다.
2. 자신의 가능성, 자신감을 향상시켜 해준다.
3. 스트레스 관리를 잘할 수 있게 해준다.
4. 자신을 진짜 사랑하는 방법을 알게 해준다.
5. 외로움, 우울함 관리를 더 잘할 수 있게 해준다.
6. 나 너가 아닌 우리라는 마음을 알게 해준다.
7. 자신도 필요한 존재 도움이 되는 사람이구나. 느끼게 해준다.
8. 부정적인 비교보다는 긍정적 비교를 더 하게 해준다.
9. 가진 것이 부족해서 생기는 불만보다는 감사를 더하게 해준다.
10. 자격 지심, 콤플렉스, 트라우마, 상처를 관리할 수 있게 해준다.
11. 삶의 의욕을 넘치게 해준다.
12. 자신의 가치를 찾게 해준다.
13. 불행, 고난, 역경 힘든 시기가 왔을 때 이겨낼 수 있게 해준다.

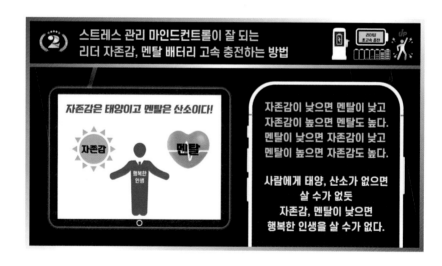

② 스트레스 관리 마인드컨트롤이 잘 되는 리더 자존감, 멘탈 배터리 고속 충전하는 방법

자존감은 태양이고 멘탈은 산소이다!

자존감

멘탈

행복한 인생

자존감이 낮으면 멘탈이 낮고
자존감이 높으면 멘탈도 높다.
멘탈이 낮으면 자존감이 낮고
멘탈이 높으면 자존감도 높다.

사람에게 태양, 산소가 없으면
살 수가 없듯
자존감, 멘탈이 낮으면
행복한 인생을 살 수가 없다.

② 스트레스 관리 마인드컨트롤이 잘 되는
리더 자존감, 멘탈 배터리 고속 충전하는 방법

자존감은 눈이고 멘탈은 입이다.
자존감은 태양이고 멘탈은 그림자다.
자존감은 커피 원두고 멘탈은 첨가제다.
자존감은 스마트폰 배터리이고
멘탈은 스마트폰 본체다.
자존감은 엄마고 멘탈은 아빠다.
자존감은 부모이고 멘탈은 자녀이다!
자존감은 여자고 멘탈은 남자다.
자존감은 오전이고 멘탈은 오후다.
자존감은 연료이고 멘탈은 자동차다.
자존감은 태양이고 멘탈은 달이다.
자존감은 물이고 멘탈은 불이다.

커피 원두
(자존감)

커피
(인생)

첨가제
(멘탈)

MILK

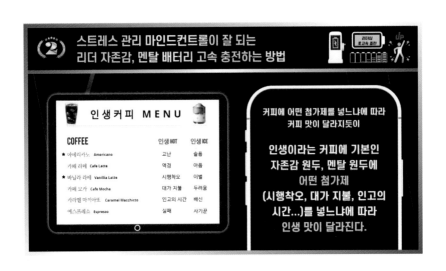

② 스트레스 관리 마인드컨트롤이 잘 되는
리더 자존감, 멘탈 배터리 고속 충전하는 방법

인생커피 MENU

COFFEE

★ 아메리카노 Americano
카페 라떼 Cafe Latte
★ 바닐라 라떼 Vanillia Latte
카페 모카 Cafe Mocha
카라멜 마끼아또 Caramel Macchicto
에스프레소 Espresso

인생 HOT
고난
역경
시행착오
대가 지불
인고의 시간
실패

인생 ICE
슬픔
아픔
이별
두려움
배신
사기꾼

커피에 어떤 첨가제를 넣느냐에 따라
커피 맛이 달라지듯이

인생이라는 커피에 기본인
자존감 원두, 멘탈 원두에
어떤 첨가제
(시행착오, 대가 지불, 인고의
시간...)를 넣느냐에 따라
인생 맛이 달라진다.

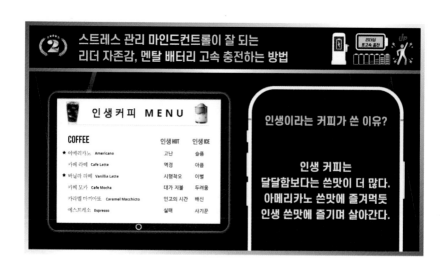

**스트레스 관리 마인드컨트롤이 잘 되는
리더 자존감, 멘탈 배터리 고속 충전하는 방법**

인생커피 MENU

COFFEE

		인생 HOT	인생 ICE
★ 아메리카노	Americano	고난	슬픔
카페 라떼	Cafe Latte	역경	아픔
★ 바닐라 라떼	Vanillia Latte	시행착오	이별
카페 모카	Cafe Mocha	대가 지불	두려움
카라멜 마끼아또	Caramel Macchicto	인고의 시간	배신
에스프레소	Espresso	실패	사기꾼

인생이라는 커피가 쓴 이유?

인생 커피는
달달함보다는 쓴맛이 더 많다.
아메리카노 쓴맛에 즐겨먹듯
인생 쓴맛에 즐기며 살아간다.

인생커피 MENU

COFFEE

		인생 HOT	인생 ICE
★ 아메리카노	Americano	고난	슬픔
카페 라떼	Cafe Latte	역경	아픔
★ 바닐라 라떼	Vanillia Latte	시행착오	이별
카페 모카	Cafe Mocha	대가 지불	두려움
카라멜 마끼아또	Caramel Macchicto	인고의 시간	배신
에스프레소	Espresso	실패	사기꾼

세상에서 가장 맛있는 아메리카노!!

핸드드립 세트 할인! (드립 서버, 드리퍼, 드립포트, 여과지, 그라인더)

리더십 핸드드립 세트 할인!

1. 리더십 드립 서버 2. 리더십 드리퍼
3. 리더십 드립포트 4. 리더십 여과지 5. 리더십 그라인더

뽑힌 리더십은
가성품이 아니라
수제품이다.
나다운 리더십

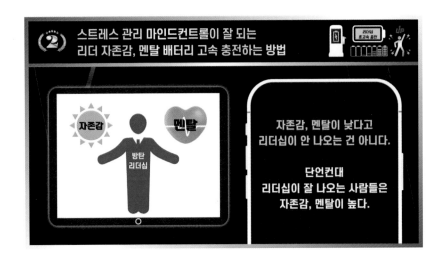

② 스트레스 관리 마인드컨트롤이 잘 되는
리더 자존감, 멘탈 배터리 고속 충전하는 방법

리더십 고속 충전

자존감

멘탈

방탄
리더십

자존감, 멘탈이 낮다고
리더십이 안 나오는 건 아니다.

단언컨대
리더십이 잘 나오는 사람들은
자존감, 멘탈이 높다.

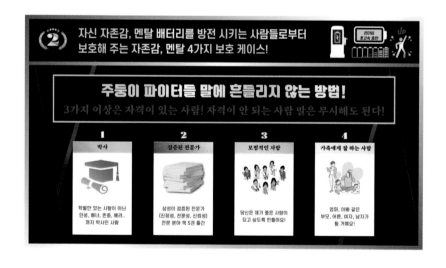

주둥이 파이터들 말에 흔들리지 않는 방법!

3가지 이상은 자격이 있는 사람! 자격이 안 되는 사람 말은 무시해도 된다!

1
박사

학벌만 있는 사람이 아닌
인성, 매너, 존중, 배려..
까지 박사인 사람

2
검증된 전문가

삼성이 검증된 전문가
(진정성, 전문성, 신뢰성)
전문 분야 책 5권 출간

3
모범적인 사람

당신은 제가 좋은 사람이
되고 싶도록 만들어요!

4
가족에게 잘 하는 사람

엄마, 아빠 같은
부모, 어른, 여자, 남자가
될 거예요!

② 자존감, 멘탈 배터리가 방전되면 스트레스 관리가 안 된다.
자존감, 멘탈 배터리 보호를 잘 하면 스트레스 관리가 잘 된다.

당신은 할 수 없어!
당신 돈 없잖아!
당신 백 없잖아!

4가지 중
1도 없네?
너나 잘 하세요!

내가 해 봐서 아는데
당신은 못해!
주제를 아세요!

4가지 중
하나 있네?
어디서 명령이가 짓나?

타이로페즈(5만원으로 600억을 만든 사람)

타이로페즈는 미국의 사업가이자 강연가로 유명합니다. 그는 한화 오만원의 재산을 수백억대로 불렸고 그의 TED톡 영상은 수백만명이 봤습니다. 그런 그가 그 자리게 오를 수 있었던 가장 큰 이유 두가지를 공유합니다.

멘토가 필요하냐구요?

책을 읽어야하냐구요?

겁나 많은 의견들이 있어서 뭘 믿어야 할지 모르겠죠? 제가 한마디 하죠. 누군가가 저에게 해준 말인데 사람은 거짓말을 하지만 숫자는 진실을 말한다. 헷갈리면 숫자를 보세요. 내말을 듣지 말고 남들 말도 듣지 말아보죠. 그냥 숫자를 검색해 봐요. 겁나 쉽습니다. Forbes 리스트를 보세요. 세상 가장 성공한 기업가들 리스트죠. 그 사람들이 멘토가 있었을까? 책을 읽었을까? 내가 읽어줄게요. 그럼! 오마이갓! 내가 존경하는 사람들인데 리스트에 몇 명을 말해볼게요.

빌게이츠 멘토 = 책, Ed 로버츠

오프라윈프리 멘토 = 책, 메리던킨

스티브잡스 멘토 = 책, 로버트 프리드랜드

워렌버핏 멘토 = 책, 벤저민그레이엄

마이클조던 멘토 = 책, 필잭슨

마크저커버그 멘토 = 책, 스티브잡스

리스트에 모두가 멘토가 있었어요. 누가 누구의 제자였는지요. 작년에 코비 브라이언트랑 같이 앉아서 경기를 봤는데 그와 라커룸에서 대화를 했어요. 비디오로도 찍었는데 내가 물어봤죠. "코비, 너 멘토 있었어?" 바로 답하더군요. "타이, 멘토가 가장 중요해." 코비는 많은 부류의 멘토가 있더군요. 마이클 잭슨도 코비에게 조언을 해줬대요. 디즈니의 CEO를 멘토로 만나는 등 각기 다른 멘토들요. 알버트 아인슈타인도 마찬가지에요. 인류 역사상 가장 위대한 천재도 멘토가 있었어요. 십대 때부터 매주 목요일 멘토의 가족들과 함께 점심을 먹었죠. 대화하며 수학과 물리학을 배웠어요. 당신이 누군지 모르겠지만 저는 아인슈타인보다 똑똑하지 않아요.

만약 그들이 멘토가 필요했다면 저는 더욱 필요하다고 느껴요. 역사를 돌아봐도 마찬가지에요. 위대한 정복자 알렉산더 대왕도 멘토가 있었어요. 15세때 그의 아버지가 위대한 철학자 아리스토텔레스를 고용해 아들과 같이 여행해달라고 부탁하죠. 아리스토텔레스는 그렇게 그를 가르쳤어요. 아리스토텔레스의 놀라운 사실은 그는 철학자 프라토의 멘티였어요. 플라토는 소크라테스를 멘토로 두었죠. 연결고리가 보이시나요? 스티브 잡스도 멘토를 두고 있었지만 결국 자신도 누군가의 멘토가 되었죠. 멘토는 조언만 해주는 사람이 아니라 동기부여도 해

줍니다. 세계 최고의 기업들이 바로 이렇게 탄생했다구요. 학습의 방법은 단 두가지에요. 누군가에게 직접 배우던가 누군가가 쓴 책이나 영상으로 배우죠. 그게 다입니다. 한글, 수학 어떻게 배웠어요? 누워서 배워야지 생각만 하니까 배워졌어요? 누군가는 말하겠죠. "타이, 만약 멘토링과 책을 읽는데 행동을 안하면 어떻게 돼?"
당연히 행동도 해야죠. 지하방에 박혀서 책읽고 유튜브에 동기부여나 멘토 영상만 본다고 되겠어요? 하지만 한가지 더 열심히만 행동, 일하면서 똑똑하게 일하지 않으면 마찬가지로 얻는건 별로 없을겁니다.
예를 들어보면 누가 더 열심히 일할까요? 일용직 노동자와 스티브 잡스 혹은 일론머스크 중에서요. 물론 일용직 노동자는 꼭 필요해요. 그분들을 욕하는게 아닙니다. 하지만 성취한 수확물을 보면 열심히 보다 똑똑하게 일하는게 더 큽니다.
포브스 리스트를 봐요 최고 부자 리스트 아마존 창업자 제프베조스는 아이러니하게도 책관련 사업으로 시작했죠. 그는 책을 엄청 읽어요. 특히나 그의 샘월튼의 자서전은 거의 인생에 멘토가 되었고 얼마나 많이 읽었는지 페이지들이 다 낡았더군요. 제프는 세계 3위 부자에요. 나는 제프에게 상대가 안되죠. 그런데 그가 책과 멘토가 필요하면
나에겐 더 필요한 존재들이죠. 때로는 나도 일을 미뤄

요. 그리고는 읽는 책들 자서전들의 조언을 생각하죠. 혹은 직접 만나서 들은 조언들요.

일론머스크가 뭐라고 했는지 알아요? 제가 물었어요. "일론, 어떻게 스페이스 X를 창업했어?" "우주선 분야에는 경험도 없었잖아" "페이팔 경력밖에 없었을 텐데" 그가 대답하길 "책으로 다 배웠어." "수 많은 책을 읽었지."

이렇듯 책은 비대면 멘토에요. 사람이 아니니까요. 하지만 효과는 동일합니다. 그 책의 작가가 멘토가 되는거에요. 나는 알아. 모두가 스티브잡스가 되길 원하진 않겠죠. 아인슈타인처럼 될 필요는 없어요. 제가 하는 말은 그게 아니라 나는 뭘 배우더라도 큰 일을 해낸 사람에게 배우고 싶은 거에요. 당신이 정하세요. 누구에게 배우고 싶은 지를요. 저에 경우는 꼭대기에 있는 사람들이죠. 그리고 위대한 사람들은 항상 위대한 멘토를 가졌죠. 그리고 그들은 책을 읽어요. 마크 큐반이 제 집에서 해준 말이에요. 그는 샤크탱크라는 회사의 CEO이자 억만장자입니다. 제가 묻길 "마크, 너 책 많이 읽어?" 그는 "타이, 너 그거 알아?" "내가 LA공항에 지금 날 기다리는 전용기를 산 이유가 바빠서 못했던 독서를 누구의 방해도 받지 않고 더 하기 위해서야"

마크가 500억 짜리 전용기를 산 이유가 책을 더 읽기 위해서 라구요. 워렌버핏도 비행기에 타면 아무도 말을 못걸게 한 대요, 독서하려고 사람과 다르게 숫자는 거짓말을 안하다니까요. 열심히만 일하지 말고 똑똑하게 일하세요. 도구를 가지고 효율적으로 일하세요.

무엇이 빌케이츠를 16년 연속 세계 최고 부자로 만들었을까요? 그는 휴가를 독서하러 가고 그는 책이 주제인 블로그도 운영하죠. 그의 한마디가 정말 충격적이었는데 말하길 "나는 참 게을러요. 그래서 남들과 달리 머리를 써서 쉬운 방법을 찾죠. 그리고 가지고 싶은 슈퍼파워가 속독" 그가 시간을 쓰지 않는다는 게 아니에요. 시간은 무조건적으로 써지는 거죠. 하지만 시간을 쓰는게 목표가 아니라 적은 시간동안 많은 일을 끝내는거죠. 일은 반만 하는데 결과는 두배를 만드는 게 목표라는거에요. 그리고 그 방법은 단 한가지 머리는 써야하는 겁니다. 그게 당신을 위대하게 할거에요. 그러기 위해 위대한 멘토를 찾고 더 많이 읽는거죠. 내말 믿어요. 그리고 틀린지 시도해보세요. 못믿겠으면 직접 시도해보라니까요. 그리고 결과가 맘에 안들거나 도움 안되는거 같으면 그만두면 되죠. 각자 배우는 방식은 다를 수도 있느니까요. 하지만 열명 중 아홉의 위대한 사람들은 멘토가 있거나 책에서 멘토를 찾죠.

그러니까 믿져야 본전인거 확률을 믿고 해보세요. 멘토와 독서는 성공확률을 극대화시켜요. 이게 보증된건 아니죠. 왜냐하면 행동도 해야하니까요. 배운걸 써야 한다는 거에요. "그딴거 필요 없고, 내가 최고야?" 라고 한다면 당신 겸손함에 문제가 있는거에요. 위인들이 필요한데 당신이 필요없다고? 아인슈타인도 멘토가 필요했고 뉴턴도 자기가 대단한 이유는 대단한 스승들이 있었기에 가능했다는데 음... 근데 당신이 멘토가 필요없다고? 말 안해도 미래의 통장잔고가 보이네요.

　　　〈유튜브 터닝포인트 - 위대한 성공의 시작점〉

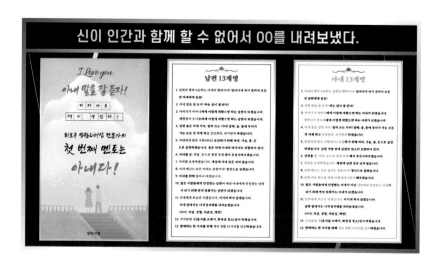

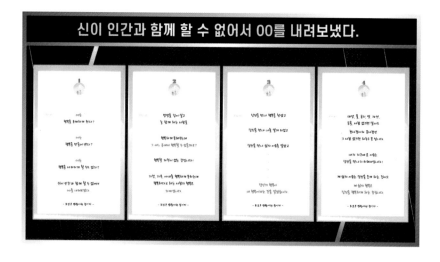

I Love you

아내 말을 잘 듣자!

자	다	가	도

떡	이		생	긴	다	!

최보규 방탄리더십 전문가의

첫 번째 멘토는

아내다!

방탄사랑

남편 13계명

1. 남편의 행복 0순위는 아내의 행복이다! 일어나서 자기 전까지 모든 것 아내에게 집중!

2. 아내 말을 잘 듣자! 하는 일이 잘 된다!

3. 아버지가 어머니에게 이렇게 대했으면 하는 남편이 되겠습니다. 매형들이 누나들에게 이렇게 대했으면 하는 남편이 되겠습니다.

4. 남편 몸은 아내 거다. 빌려 쓰는 거다! 담배, 술, 몸에 무리가 가는 모든 것 자제 하고 건강관리, 자기관리 하겠습니다.

5. 아내에게 받은 사랑(내조) 보답하기 위해 머리, 가슴, 몸, 돈으로 실천하겠습니다. 용돈 안에 아내의 바가지도 포함되어 있다.

6. 아내를 몸, 마음, 돈으로 평생 웃게 해서 호강시켜주겠습니다.

7. 아내를 존경하겠습니다. 세상에 아내 같은 여자 없습니다.

8. 아내 빼고는 모든 여자는 공룡이다! 정신으로 살겠습니다.

9. 아내를 위해 앉아서 싸겠습니다.

10. 많은 사람들에게 인정받는 남편이 아닌 아내에게 인정받는 남편이 되기 위해 먼저 맞춰가는 남편이 되겠습니다.

11. 아내에게 무조건 지겠습니다. 이기려 하지 않겠습니다. 아내 앞에서는 나직성자체를 내려놓겠습니다. (나이, 직급, 성별, 자존심, 체면)

12. 지저분한 것(음식물 쓰레기, 화장실 청소)같이 하겠습니다.

13. 함께하는 한 가지를 위해 개인 생활 10가지를 감수하겠습니다.

아내 13계명

1. 아내의 행복 0순위는 남편의 행복이다! **일어나서 자기 전까지 모든 것 남편에게 집중!**

2. 남편 말을 잘 듣자! **하는 일이 잘 된다!**

3. 어머니가 아버지에게 이렇게 대했으면 하는 아내가 되겠습니다. 새언니가 친오빠에게 이렇게 대했으면 하는 아내가 되겠습니다.

4. 아내 몸은 남편 거다. **빌려 쓰는 거다! 담배, 술, 몸에 무리가 가는 모든 것 자제 하고** 건강관리, 자기관리 **하겠습니다.**

5. 남편에게 받은 사랑(외조) 보답**하기 위해 머리, 가슴, 몸, 돈으로 실천 하겠습니다. 남편 사랑 안에 남편의 잔소리 포함되어 있다.**

6. **남편을 몸, 마음, 돈으로 평생 웃게 해서 호강시켜주겠습니다.**

7. 남편을 존경하겠습니다. 세상에 남편 같은 남자 없습니다.

8. 남편 빼고는 모든 남자는 공룡이다! 정신으로 살겠습니다.

9. 남편 피로 해소를 위해 어깨 안마 5분씩 해주겠습니다.

10. **많은 사람들에게 인정받는 아내가 아닌** 남편에게 인정받는 아내**가 되기 위해 먼저 맞춰가는 아내가 되겠습니다.**

11. 남편에게 무조건 지겠습니다. **이기려 하지 않겠습니다. 남편 앞에서는 나직성자체를 내려놓겠습니다. (나이, 직급, 성별, 자존심, 체면)**

12. 지저분한 것 (음식물 쓰레기, 화장실 청소)같이 하겠습니다.

13. 함께하는 한 가지를 위해 개인 생활 10가지를 감수**하겠습니다.**

Dear.   OO는

행복을 존재하게 한다?

OO는

행복을 만들어 낸다?

OO는

행복을 사라지게 할 수도 있다?

신이 인간과 함께 할 수 없어서

OO를 내려보냈다.

- 최보규 방탄사랑 창시자 -

164

2

Dear.   평생을 같이 살고
         늘 함께 하는 사람을

         행복하게 못해주는데
      그 어느 곳에서 행복할 수 있을까요?

      행복할 자격이 없는 것입니다!

   가정, 가족, 아내를 행복하게 못하는데
     행복하다고 하는 사람의 행복은
              가짜입니다.

         - 최보규 방탄사랑 창시자 -

Dear.　　당신을 만나 행복을 찾았고

당신을 만나 나를 알게 되었고

당신을 만나 삶의 이유를 알았고

.

.

.

.

당신의 행복이
내 행복이라는 것을 알았습니다.

- 최보규 방탄사랑 창시자 -

4

Dear. 태양, 물, 공기, 땅, 자연,
동물, 사람 없으면 살아도

첫사랑이자 끝사랑인
그 사람 없으면 하루도 못 삽니다.

내가 지구에 온 이유는
당신을 만나기 위해서입니다!

제 삶의 이유는 당신을 웃게 하는 것이고

제 삶의 행복은
당신을 행복하게 하는 것입니다.

- 최보규 방탄사랑 창시자 -

Dear.　　이 사람은 늘 감사, 긍정의 말
한마디 한마디가 저에 행복을 충전시켜줍니다.

이 사람은 꾸준한 자기관리하는 모습으로
저에 행복을 충전시켜줍니다.

이 사람은 부모를 챙기는 모습으로
저에 행복을 충전시켜줍니다.

.

무한 에너지인 태양광 에너지처럼
저에 행복을 무한 충전해 주는 사람!

아내는 가정의 행복을 지켜주는 유일한
행복 태양광 에너지!

- 최보규 방탄사랑 창시자 -

168

최보규 방탄리더십 전문가의 습관 320가지 (2008년 ~ 진행 중)

1. 전신 장기기증
2. 유서 써놓기
3. 꿈 목표 설정
4. 영양제 챙기기
5. 꿀 챙기기
6. 계단 이용
7. 8시간 숙면
8. 취침 4시간 전 안 먹기
9. 기상 후, 자기 전 스트레칭 10분
10. 술, 담배 안 하기
11. 하루 운동 30분
12. 밀가루 기름진 음식 줄이기
13. 자극적인 음식 줄이기
14. 얼굴 눈 스트레칭
15. 박장대소 하루 2회
16. 기상 직후 양치질 물먹기
17. 물 7잔 마시기
18. 밥 먹는 중 물 조금만
19. 국물 줄이기
20. 밥 먹고 30후 커피 마시기
21. 기상 직후 책 듣기
22. 한 달 책 15권 읽기
23. 책 메모하기
24. 메모 ppt 만들기
25. SNS 캡처 자료수집
26. 강의 자료 항상 찾기
27. 좋은 글 점심때 보내기
28. 사랑의 전화 봉사
29. 주말 유치원 봉사
30. 지인 상담봉사
31. 강의 재능기부
32. 사랑의 전화 후원
33. 강의자료 주기
34. TV 줄이기
35. 부정적인 뉴스 줄이기
36. 솔선수범하기
37. 지인들 선물 챙기기
38. 한 달 한번 등산
39. 몸에 무리 가는 행동 안 하기
40. 하루 감사 기도 마무리
41. 탄산음료, 과일주스 줄이기
42. 아침 유산균 챙기기
43. 고자세
44. 스마트폰 소독 2번
45. 게임 안 하기
46. SNS 도움 되는 것 공유
47. 전단지 받기
48. 긍정, 멘탈 사용설명서 도구 스티커 나눠주기
49. 학습자 선물 주기
50. 강의 피드백 해주기
51. 자일리톨 원석 먹기 하루 3개
52. 찬물 줄이고 물 미온수 먹기
53. 소금물 가글
54. 알람 듣고 바로 일어나기

최보규 방탄리더십 전문가의 습관 320가지 (2008년 ~ 진행 중)

55. 오전 10시 이후 커피 먹기
56. 믹스커피 안 먹기
57. 강의 족보 주기
58. 강의 동영상 주기
59. 강의 녹음파일 주기
60. 블로그 좋은 글 나누기
61. 인스턴트 음식 줄이기
62. 아이스크림 줄이기
63. 빨리 걷기
64. 배워서 남 주자 실천(PPT)
65. 읽어서 남 주자 실천(책 속의 글)
66. 오른손으로 차 문 열기
67. 오손도손 오손 왼손 캠페인 전파하기
68. 운전 중 스마트폰 안 보기
69. 취침 전 30분 독서
70. 취침 전 30분 스마트폰 안 보기
71. 오늘이 마지막인 것처럼 섬기고 영원히 살 것처럼 배우기
72. 자존심 신발장에 넣어 두고 나오기
73. 내가 받은 상처는 모래에 새기고 내가 받은 은혜는 대리석에 새기기
74. 어제의 나와 비교하기
75. 어제 보다 0.1% 성장하기
76. 세상에서 가장 중요한 스펙? 건강, 태도 실천하기
77. 나방이 되지 않기
78. 마라톤 10주 프로그램 시작
79. 마라톤 5km 도전
80. 마라톤 10km 도전
81. 마라톤 하프 도전
82. 마라톤 풀코스 도전
83. 자기 전 5분 명상
84. 뱃살 스트레칭 3분
85. 아침 동기부여 사진 보내기 8시
86. 저녁 동기부여 사진 보내기 9시
87. 나의 1%는 누군가에게는 100%가 될 수 있다. 실천
88. 150세까지 지금 몸매, 몸 상태 유지 관리
89. 아침 달걀 먹기
90. 운동 후 달걀 먹기
91. 헬스장 등록
92. 오래 살기 위해서가 아니라 옳게 살기 위해 노력하는 사람이 되자
93. 남들이 하는 거 안 하기 남들이 안 하는 거 하기

최보규 방탄리더십 전문가의 습관 320가지 (2008년 ~ 진행 중)

94. 아침 결명자차 마시기
95. 저녁 결명자차 마시기
96. 폼롤러 스트레칭
97. 어제보다 나은 내가 되자
98. 남들이 안 하는 강의 분야 도전
99. 플랭크 운동
100. 스쿼터 운동
101. 계산할 때 양손으로 주고받고 인사
102. 명함 거울 선물 주기
103. 40살 되기 전 책 출간
104. 반 100년 되기 전 책 5권 집필하기
105. 유튜브[나다운TV] 강사심폐소생술
106. 유튜브[나다운TV] 나다운심폐소생술
107. 아.원.때.시.후.성.실 말 줄이기
108. 나다운 강사 책 유튜브 올려 함께 잘 되기
109. 리플렛으로 동기부여 시켜주기

110. 아침 8시 동기부여 메시지 만들어 보내기
111. 저녁 9시 동기부여 메시지 만들어 보내기
112. 어플 책 속의 한 줄에 책 내용 올리기
113. 책 내용 SNS 오픈
114. 3번째 책 원고 작업 시작
115. 4번째 책 자료수집
116. 뱃살관리 스트레칭 아침, 저녁 5분
117. 3번째 책 기획출판계약
118. 최보규강사사관학교 시작
119. 최보규강사사관학교 지회 원장 임명
120. 올 노(올바른 노력)공식 오픈
121. 행복, 방탄멘탈 공식 자자자자멘습금 오픈
122. 생활 네 잎 클로버 선물 주기
123. 세바시를 통해 극단적인선택 예방 전파!
124. 세바시를 통해 자자자자멘습금 사용설명서 전파!
125. 4번째 책 원고 시작 2021년 1월 출간 목표!
126. 전염성이 강한 상황 왔을 때 대처하기 위한 준비!
127. 코로나19 극복을 위한 공적 마스크 독고 어르신들 주기!

최보규 방탄리더십 전문가의 습관 320가지 (2008년 ~ 진행 중)

128. 아내를 위해 앉아서 소변보기
129. 들어라 하지 말고 듣게 하자
130. 좋은 사람이 되지 말고 좋은 사람 되어주자.
131. 좋아하게 하지 말고 좋아하게 하자
132. 보여주는(인기)인생을 사는 것보다
    보여지는(인정)인생을 살아가자.
133. 나 이런 사람이야 말하지 않아도
    이런 사람이구나 느끼게 하자.
134. 마음을 얻으려 하지 말고 마음을 열게 하자.
135. 믿으라 하지 말고 믿게 하자
136. 나의 행복 0순위는 아내의 행복이다!
    일어나서 자기 전까지 모든 것 아내에게 집중!
137. 아내 말을 잘 들으자! 하는 일이 잘 된다!
138. 아버지가 어머니에게 이렇게 대했으면 하는 남편이
    되겠습니다. 매형들이 누나들에게 이렇게 대했으면
    하는 남편이 되겠습니다.
139. 내 몸은 아내꺼다. 빌려 쓰는 거다! 담배, 술, 몸에
    무리가 가는 모든 것 자제 하고 건강관리, 자기관리
    하겠습니다.
140. 아내의 은혜를 보답하기 위해 머리, 가슴, 몸, 돈으로
    실천하겠습니다!

141. 아내에게 받은 사랑(내조) 보답하기 위해 머리, 가슴, 몸, 돈
    으로 실천하겠습니다.
142. 아내를 몸, 마음, 돈으로 평생 웃게 해서 호강시켜주겠습니다.
143. 아내를 존경하겠습니다. 세상에 아내 같은 여자 없습니다.
144. 아내 빼고는 모든 여자는 공룡이다! 정신으로 살겠습니다.
145. 많은 사람들에게 인정받는 남편이 아닌 아내에게 인정받는
    남편이 되기 위해 먼저 맞춰가는 남편이 되겠습니다.
146. 아내에게 무조건 지겠습니다.
    이기려 하지 않겠습니다. 아내 앞에서는 나직성자체를
    내려놓겠습니다. (나이, 직급, 성별, 자존심, 체면)
147. 지저분한 것(음식물 쓰레기, 화장실 청소)다 하겠습니다.
148. 함께하는 한 가지를 위해 개인 생활 10가지를 감수하겠습니다.
149. 최강자 학습지 시작 (최보규의 강사학습지, 자기계발학습지)
150. 홍코 인생 시작 (집에서 화상 1:1 케어)
151. 불자의 인생 시작
152. 나는 복덩어리다. 나는 운이 좋은 사람이다.
153. 베스트셀러 3권 달성 노하우 책쓰기 교육 시작
154. 유튜브, 유튜버 100년 하는 노하우 교육 시작

172

155. 방탄멘탈마스터 양성 시작
156. 나다운 방탄멘탈 책으로 극단적인 선택 줄이기
157. 아침 8시, 저녁 9시 방탄멘탈공식 SNS 공유
158. 5번째 책 2022년 나다운 방탄사랑
159. 2023 나다운 방탄멘탈 2
160. 2024 나다운 책 쓰기(100년 가는 책)
161. 2025 유튜버가 아니라 나튜버 (100년 가는 나튜버)
162. 2026 나다운 감사3(Q&A)
163. 2027 나다운 명언
164. 2029 나다운 인생(50살 자서전)
165. 줌 화상 기법 강의, 코칭(최보규검사관학교)
166. 언택트(비대면)시대에 맞게 아날로그 방식 80%를
     디지털 방식 80%로 체인지
167. 변기 뚜껑 닫고 물 내리기
168. 빨래개기
169. 요리하기, 요리책 내기 위한 자료 수집
170. 화장실 물기 제거

171. 부엌 청소, 집 청소, 화장실 청소
172. 사랑해 100번 표현하기
173. 아내에게 하루 마무리 안마 5분 해주기
174. 헌혈 2달에 1번
175. 헌혈증 기부
176. 네 번째 책 행복 히어로 책 출간
177. 극단적인 선택률, 이혼율 낮추기 위한 교육 시작
178. 행복률 높이기 위한 교육 시작
179. 다섯 번째 책 원고 작업 시작
180. 여섯 번째 책 자료 수집
181. 운전 중 양보 해 줄 때, 받을 때 목례로 인사하기.
182. 다섯 번째 책 나다운 방탄습관블록 출간
183. 습관사관학교 시스템 완성
184. 습관 코칭, 교육 시작
185. 아침 8시, 저녁 9시 습관 메시지 sns 공유
186. 습관 전문가 되어 무료 케어 상담 시작
187. 습관 콘텐츠 유튜브<행복히어로>에 무료 오픈 시작

188. 여섯 번째 책 원고 작업 시작
189. 최보규상(대한민국 노벨상) 버킷리스트 설정
190. 2037년까지 운영진, 자금(상금), 시스템 완성 목표 설정
191. 최보규상을 1,000년 동안 유지하기 위한 공부
192. 일곱 번째 자존감 책 원고 작업
193. 여덟 번째 책 쓰기 자료 수집, 공부
194. 앉아서 일할 때 50분의 한번 건강 타이머 누르기
195. 세계 최초 자기계발쇼핑몰(www.자기계발아마존.com)
196. 온라인 건물주 분양 시작(월세, 연금성 소득 올릴 수 있는 시스템)
197. 일곱, 여덟 번째 책 출간(나다운 방탄자존감 명언 Ⅰ, Ⅱ)
198. 자기계발코칭전문가 1급, 2급 자격증 교육 시작
199. 방탄자기계발사관학교 Ⅰ, Ⅱ, Ⅲ, Ⅳ 4권 출간
200. 2021년 목표였던 9권 책 출간 달성!
201. 하루 3번 호흡 스펙 습관 쌓기 시작
     (코 8초 마시고, 5초 멈추고, 입으로 8초 내뱉기)
202. 장모님께 출간 한 책 12권 드리기
203. 2022년 최보규의 책 쓰기9 원고 작업 시작
204. 100만 프리랜서들 도움주기 위한 프로젝트 시작

205. 방탄 자존감 코칭 기술
206. 방탄 자신감 코칭 기술
207. 방탄 자기관리 코칭 기술
208. 방탄 자기계발 코칭 기술
209. 방탄 멘탈 코칭 기술
210. 방탄 습관 코칭 기술
211. 방탄 긍정 코칭 기술
212. 방탄 행복 코칭 기술
213. 방탄 동기부여 코칭 기술
214. 방탄 정신교육 코칭 기술
215. 꿈 코칭 기술
216. 목표 코칭 기술
217. 방탄 강사 코칭 기술
218. 방탄 강의 코칭 기술
219. 파워포인트 코칭 기술
220. 강사 트레이닝 코칭 기술
221. 강사 스킬UP 코칭 기술
222. 강사 인성, 멘탈 코칭 기술

최보규 방탄리더십 전문가의 습관 320가지 (2008년 ~ 진행 중)

223. 강사 습관 코칭 기술
224. 강사 자기계발 코칭 기술
225. 강사 자기관리 코칭 기술
226. 강사 양성 코칭 기술
227. 강사 양성 과정 코칭 기술
228. 퍼스널브랜딩 코칭 기술
229. 방탄 리더십 코칭 기술
230. 방탄 인간관계 코칭 기술
231. 방탄 인성 코칭 기술
232. 방탄 사랑 코칭 기술
233. 스트레스 해소 코칭 기술
234. 힐링, 웃음, FUN 코칭 기술
235. 마인드컨트롤 코칭 기술
236. 사명감 코칭 기술
237. 신념, 열정 코칭 기술
238. 팀워크 코칭 기술
239. 협동, 협업 코칭 기술
240. 버킷리스트 코칭 기술

241. 종이책 쓰기 코칭 기술
242. PDF 책 쓰기 코칭 기술
243. PPT로 책 출간 코칭 기술
244. 자격증 교육 커리큘럼으로 책 출간 코칭 기술
245. 자격증 교육 커리큘럼으로 영상 제작 코칭 기술
246. 책으로 디지털콘텐츠 제작 코칭 기술
247. 책으로 온라인 콘텐츠 제작 코칭 기술
248. 책으로 네이버 인물 등록 코칭 기술
249. 책으로 강의 교안 제작 코칭 기술
250. 책으로 민간 자격증 만드는 코칭 기술
251. 책으로 자격증 과정 8시간 제작 코칭 기술
252. 책으로 유튜브 콘텐츠 제작 코칭 기술
253. 유튜브 시작 코칭 기술
254. 유튜브 자존감 코칭 기술
255. 유튜브 멘탈 코칭 기술
256. 유튜브 습관 코칭 기술
257. 유튜브 목표, 방향 코칭 기술
258. 유튜브 돈기부여 코칭 기술

최보규 방탄리더십 전문가의 습관 320가지 (2008년 ~ 진행 중)

259. 유튜브가 아닌 나튜브 코칭 기술
260. 유튜브 영상 제작 코칭 기술
261. 유튜브 영상 편집 코칭 기술
262. 유튜브 울렁증 극복 코칭 기술
263. 유튜브 썸네일 디자인 제작 코칭 기술
264. 유튜브 콘텐츠 제작 코칭 기술
265. 유튜브 수입 연결 제작 코칭 기술
266. 유튜브 영상 홍보 코칭 기술
267. 홈페이지 무인시스템 연결 제작 코칭 기술
268. 홈페이지 자동 결제 시스템 제작 코칭 기술
269. 홈페이지 비메오 연결 제작 코칭 기술
270. 홈페이지 렌탈 시스템 제작 코칭 기술
271. 홈페이지 디자인 제작 코칭 기술
272. 홈페이지 제작 코칭 기술
273. 재능마켓 크몽 PDF 입점 코칭 기술
274. 재능마켓 크몽 강의 입점 코칭 기술
275. 재능마켓 크몽 이미지 디자인 제작 코칭 기술
276. 재능마켓 크몽 입점 영상 제작 코칭 기술

277. 재능마켓 크몽 입점 영상 편집 코칭 기술
278. 재능마켓 크몽 VOD 입점 코칭 기술
279. 클래스101 영상 입점 코칭 기술
280. 클래스101 PDF 입점 코칭 기술
281. 클래스101 이미지 디자인 제작 코칭 기술
282. 클래스101 영상 제작 코칭 기술
283. 클래스101 영상 편집 코칭 기술
284. 탈잉 영상 입점 코칭 기술
285. 탈잉 PDF 입점 코칭 기술
286. 탈잉 이미지 디자인 제작 코칭 기술
287. 탈잉 영상 제작 코칭 기술
288. 탈잉영상 편집 코칭 기술
289. 탈잉 VOD 입점 코칭 기술
290. 클래스U 영상 입점 코칭 기술
291. 클래스U 영상 제작 코칭 기술
292. 클래스U 영상 편집 코칭 기술
293. 클래스U 이미지 디자인 제작 코칭 기술
294. 클래스U 커리큘럼 제작 코칭 기술

최보규 방탄리더십 전문가의 습관 320가지 (2008년 ~ 진행 중)

295. 인룰 입점 코칭 기술
296. 자신 분야 콘텐츠 제작 코칭 기술
297. 자신 분야 콘텐츠 컨설팅 코칭 기술
298. 자기계발코칭전문가 1시간 ~ 1년 코칭 기술
299. 강사코칭전문가, 리더십코칭전문가 1시간 ~ 1년 코칭 기술
300. 온라인 건물주 되는 코칭 기술
301. 강사 1:1 코칭기법 코칭 기술
302. 전문 분야 있는 사람 1:1 코칭 기법 코칭 기술
303. CEO, 대표, 리더, 협회장 품위유지의무 코칭 기술
304. 은퇴 준비 코칭 기술
305. 2023년 나다운 방탄리더십 1, 2, 3, 4, 5 출간
306. 나다운 방탄리더십 아침, 저녁 메시지 시작
307. 강사코칭전문가 자격증 시스템 시작
308. 방탄 리더십 원고 작업 시작
309. 방탄 리더 자존감 원고 작업 시작
310. 방탄 리더 멘탈 원고 작업 시작
311. 방탄 리더 습관 원고 작업 시작
312. 방탄 리더 행복 원고 작업 시작
313. 방탄 리더 자기계발 원고 작업 시작
314. 방탄 리더 코칭 원고 작업 시작
315. 마트에서 구입한 물건들 바코드 정렬해서 올리기
316. 장모님 머리 염색해 주기
317. 처남 금연, 금주 도와주기
318. 한 해 시작할 때 습관 영상 업로드
319. 결혼기념일 뱃지, 명찰 제작
320. 뒤꿈치 들기 운동 시작

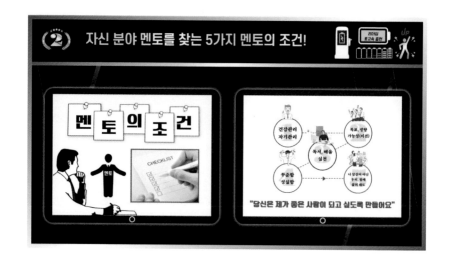

▶ 스토리텔링 전체 내용!

※ 자기계발 잘 하는 사람의 5가지 기준!

첫 번째, 자기 관리, 건강관리를 잘하는 사람.

모든 시작은 자기 관리, 건강에서 시작한다. 자기 관리가 안 돼서 몸이 아프면 모든 게 만사가 귀찮다. 몸이 아프면 부정적인 생각이 드는 게 사람의 심리다. 바디갑이 자존감, 멘탈 갑이듯 자기 관리, 건강관리가 잘 돼야 마인드 컨트롤이 잘 되서 자신 삶의 페이스 유지를 잘할 수 있다.

자기 관리, 건강관리를 잘하는 사람이 주위에 있는가?

내가 그런 사람이 아니라면 주변에 자기관리, 건강관리

잘 하는 사람이 대부분 없다. 상대방이 자기계발을 잘하는 사람인지 아닌지 알 수 있는 방법은 가장 먼저 밝은 표정인지, 말투에서 힘이 느껴지는지, 모습이 자기 관리, 건강관리가 잘 되어 보이는지 이런 것들을 보고 판단할 수 있다. 그래서 필자는 320가지 자기계발 습관 중에 50%가 자기 관리, 건강관리다.

두 번째, 목표, 방향, 가능성(비전)이 있는 사람.
"저 사람 옆에 있으면 나도 변할 수 있겠다. 나도 무엇이든 되겠다. 저 사람은 내가 좋은 사람이 되고 싶도록 만들어!" "저 사람과 함께라면 나도 가능성이 있겠다." 라는 함께 하고 싶다는 마음을 주는 사람이다.

리더라면 누구나 이런 사람이 되고 싶어 할 것이다. 그래서 필자도 이런 사람이 되기 위해서 가치, 비전, 목표, 방향, 가능성을 높이기 위해 실천했다. 사람마다 다르겠지만 필자의 결과물이 50개였다면 5,000,000배 시행착오, 대가 지불, 인고의 시간이 들어갔다. 이제는 시행착오, 대가 지불, 인고의 시간을 단축시키는 기술력을 익히게 되었다. 그 결과물들 벤치마킹해서 당신답게 만들길 바란다.

세 번째, 책을 꾸준하게 보고 실천하는 사람.

책을 많이 읽는 사람인지 아닌지 대화 5분만 해봐도 알수 있다. 책을 많이 보는 사람의 대화와 책을 아예 안읽는 사람의 대화는 완전히 다르다. 표정, 행동, 기운이다르다.

우종만 박사님이 이런 말을 했다. 아는 것이 힘이던 시대는 지났다. 생각이든 결심이든 실천이 없으면 아무 소용이 없다. 쓰레기 된다. 하는 것이 힘이다. 1%를 하더라도 실천하는 자가 행복한 사람이다.

그래서 필자는 한 달에 15권씩 꾸준히 책을 읽고 15년동안 2,000권 독서, 자기계발 책 29권을 출간하고 리더자기계발 습관 320가지를 만들었다는 것이다. 대한민국에 리더 자기계발교육을 잘하는 사람들은 많다. 최보규방탄리더 자기계발 전문가만큼 내공이 있는 사람은 단언컨대 세상에 없다.

네 번째, 꾸준히 하는 것이 많은 사람.
꾸준함 속에 성실함, 인내심, 목표, 긍정, 희망, 미래, 성장, 변화, 배움이 있다.
자동차에 연료가 없으면 움직이지 않듯 자신이 이루고자 하는 모든 것들은 꾸준함이라는 연료가 있어야 한다.
꾸준히 하고 있는 게 많으면 진짜 자기계발 잘하는 사

람이다.

다음은 좌절, 실망, 실패를 겪더라도 꾸준함이 있어야만 결과를 만들어 낼 수 있다는 것을 깨닫게 해주는 스토리텔링이다.

다람쥐는 모아둔 도토리의 대부분을 잃어버린다.
두 볼 가득 도토리를 채운 다람쥐는 하루 37번을 왕복하며 겨울을 대비할 식량을 땅속에 저장한다. 하지만, 여러 군데 나누다 어느새 너무 흩어 저버린 도토리. 결국 다람쥐가 다시 찾게 되는 도토리는 겨우 1/10정도. 나머지 도토리들은 다 어떻게 된 걸까?
이듬해 봄이 돌아오면 다람쥐가 찾던 도토리들은 그렇게, 잃어버린 줄 알았던 90%의 도토리가 참나무 숲을 이루고 그 나무들은 몇 년이 지나 다람쥐들에게 수천 개의 도토리로 돌아온다. 우리에게도 도토리를 찾지 못하고 있는 시간들이 있다. 오랜 시간 최선의 노력을 기울였던 시험에서 속절없이 떨어졌을 때 오랜 기간 준비해온 것이 너무도 쉽게 물거품이 되어 버렸을 때 우리 어떠한 노력의 결과도 얻지 못한 거 같아 좌절하곤 한다.
하지만 당신의 도토리는 결코 사라진 것이 아니다.
단지 땅에서 씨앗이 되고 있을 뿐이다. 한번 생각해보

라. 당신이 몇 개의 도토리를 잃어버렸는지 그리고 당신에게 몇 그루의 참나무가 열릴 것인지를 기억하자 실패는 끝이 아닌 시작이다.

<열정에 기름 붓기>

다람쥐의 양질전환 법칙을 생각해야 한다. 양이 많아야 질적으로 전환이 되는 것처럼 결과가 바로 나오지 않더라도 꾸준히 하고 있는 것이 많아야 한다. 꾸준함 속에서 어떤 것이 결과를 만들어 낼지 모르기 때문이다.

곰곰이 생각해 보자! 이 책을 보고 있는 당신은 지금 꾸준히 하고 있는 게 몇 개나 되는가?
대부분 사람들은 꾸준히 하고 있는 게 많다? 치킨을 꾸준히 먹는다. 담배를 꾸준히 피운다. 인스턴트를 꾸준히 먹는다. 정신, 몸에 무리가 가는 행동들을 꾸준히 한다.
필자는 15년 전 강사가 되고 나서 지금까지 꾸준히 하고 있는 게 책 2,000권 독서, 한 달에 15권 독서, 자기계발 습관 320가지를 만듦, 450명에게 점심 간 때 좋은 메시지, 영상 공유, 기부, 나눔을 실천 하고 있으며 생명 지킴이 심리 상담 봉사, 유튜브 5년 차, 2019년 ~ 2023년 까지 39권 출간을 꾸준히 하고 있다.

다섯 번째, 함께 잘 되기 위한 행동을 많이 하는 사람.

나의 1%는 누군가에게는 살아가는 100%가 될 수 있다. "내가 어려운 사람을 돕는 것이 아니라 어려운 사람이 내게 도울 기회를 주는 거다." 이런 마음으로 자신의 사소한 말, 표정, 행동들이 오로지 자신을 위해서가 아니라 함께 잘 되기 위한 행동들이 많은 사람이다.

한 마디로 "혼자 잘 되고 잘살자" 마인드가 아니라 "함께 잘 되고 잘살자" 마인드가 있는 사람이다.

내가 보는 게, 내가 듣는 게, 내가 행동하는 게 오로지 나를 위함이 아닌 함께 잘 살기 위한 행동이 많은 리더 자기계발을 해야 한다. 혼자만이 발전, 변화, 성장, 나음이 아닌 우리, 함께 발전, 변화, 성장, 나음이 될 수 있는 방탄리더 자기계발이 되어야 한다. 더 나아가 사회와 나라 발전에 이바지할 수 있는 방탄리더 자기계발을 해야 한다. 다음은 공생관계 스토리텔링이다.

터키 도안 통신(DHA)과 외신은 실제로 피해를 입은 남성의 유튜브와에 올라온 사연을 전했습니다. 터키 북동부의 트라브존에서 양봉업 이브라힘 세데프(Ibrahim Sedef)는 3년 전부터 상습적인 곰의 습격으로 1만 달러(한화 약 1,200만원)에 달하는 피해를 보았습니다. 그는 곰이 꿀을 훔쳐 가지 못하도록 철장 안에다 넣었습니다. 또 다른 음식을 두기도 했지만 곰의 꿀을 향한 집념을 막을 수 없었습니다. 모든 방법과 시도들이 물거품이 되자, 그는 역발상을 하게 됐습니다. 그의 양봉 농장에 카메라를 설치하였고 다양한 꿀을 나열해 놓았습니다. 그리고 밤손님 곰에게 시식을 맡긴 것이었죠. 결과는 대박이었습니다. 여러 날의 시식 결과 곰은 세데프의 안제르(Anzer) 꿀만 찾았습니다. 그는 이 촬영 영상과 함께 안제르 꿀을 쇼핑몰에 올렸고, 불티나게 그의 꿀이 팔렸습니다. 안제르 꿀은 1kg에 300달러를 호가한다고 합니다.

<유튜브 Demirören Haber Ajansı>

공생 관계인 코뿔소와 코뿔소 새, 소나무와 송이버섯, 곰치와 청소놀래기처럼 리더 자기계발은 함께 잘 살기 위한 방탄자기계발을 했을 때 더 시너지효과가 나는 것이다.

필자가 공생관계태도 리더십(20,000명 심리 상담, 코칭)을 통해 책을 쓰는데, 코칭하는데, 국가등록 민간 자격증 만드는데, 10개 분야 50시간 코칭 커리큘럼을 만드는데, 사람을 살리는데, 책 39권을 출간하는데, 도움이 되어 수익도 창출하고 100조의 가치를 얻을 수 있었다. 필자는 15년 동안 20,000명을 심리 상담, 코칭 하면서 늘 함께 잘 되기 위해서 상담, 코칭을 했고 습관을 만들었고 39권의 출간한 책 내용도 함께 잘 되기 위한 내용이며 유튜브를 찍더라도 작은 거라도 도움을 주기 위해서 노하우를 오픈하고 있다.

최보규 방탄리더십 전문가의 말, 표정, 행동에서 "함께 잘 되고 잘 살자" 마인드로 표현하는지 자기 자신만 생각하고 말, 표정, 행동하는지는 대화 30분만 해보면 알 것이다.

"함께 잘 되고 잘 살자" 마인드가 어떤 표현인지 어떤 것인지 30분 안에 느끼고 싶다면 무료 상담 받아 보라.
<최보규 방탄리더십 창시자 010-6578-8295>
단언컨대 30분 안에 "함께 잘 되고 잘 살자" 마인드가 어떤 것인지 느끼게 해줄 수 있다.

방탄리더 자기계발을 통해 리더는 인재를 알아볼 수 있는 기술을 쌓아야 한다. 인재를 알아보고 인재를 양성하는 것도 스펙이고 기술력이다. 30분만 대화를 해보면 함께 하고 싶은 사람인지 멀리하고 싶은 사람인지 느낄 수 있어야 걸러낼 수 있다. 리더는 함께 할 사람인지 걸러내야 할 사람인지 구분을 할 수 있어야만 조직체가 튼튼해진다. 그러기 위해서는 리더가 일반 자기계발이 아닌 방탄리더 자기계발을 해야 한다. 방탄리더 자기계발을 잘 하기 위한 최고의 방법은 방탄리더 자기계발을 잘하는 사람을 찾아야 한다. 직접 만나 배우고 꾸준히 a/s, 피드백, 관리받을 때 배움이 오래 지속되고 자생능력(스스로 할 수 있는 능력)이 생기는 것이다.

자기계발 잘하는 사람의 기준을 알면 자기계발 잘하는 사람들을 찾을 수 있다. 주위에 있는가? 잘하는 사람은 있지만 검증된 사람은 아마 없을 것이다. 검증된 사람에게 코칭을 받아야 돈과 시간 낭비를 줄일 수 있다,

교육, 코칭을 받더라도 순간 단타로 끝나는 것이 아니라 함께 잘 되기 위해서 한 번의 코칭으로 150년 A/S, 관리, 피드백해 줄 수 있는 코칭 과정이 대한민국에 있을까?

세상에 필자보다 자기계발 코칭을 잘하는 사람은 많다. 단언컨대 최보규 방탄자기계발 전문가보다 코칭 받는 사람을 사랑으로 150년 a/s, 피드백, 관리, 코칭해 주는 검증된 전문가는 대한민국에 없다! 세계에 없다!
《리더 자기계발 PT 7》

**20,000명 심리 상담, 코칭으로 알게 된
셀프 자존감, 멘탈 충전하는 방법!**

- 8시간 숙면하는 것이 자존감, 멘탈 배터리 일반 충전이다.
- 알람 듣고 바로 일어나는 것이 자존감, 멘탈 배터리 일반 충전이다.
- 기상 직후 양치질하고 물 한 잔 마시는 것이 자존감, 멘탈 배터리 일반 충전이다.
- 유산균, 영양제 먹는 것이 자존감, 멘탈 배터리 일반 충전이다.

- 책 읽어 주는 앱(교보문고 SAM) 실행하는 것이 자존감, 멘탈 배터리 일반 충전이다.
- 전신 스트레칭 10분 하는 것이 자존감, 멘탈 배터리 일반 충전이다.
- 세수하고 로션 바르기 전 자존감, 멘탈, 긍정 스티커 보고 얼굴 스트레칭하는
  것이 자존감, 멘탈 배터리 일반 충전이다.
- 하루 2번 박장대소 15초 하는 것이 자존감, 멘탈 배터리 일반 충전이다.

 **20,000명 심리 상담, 코칭으로 알게 된
셀프 자존감, 멘탈 충전하는 방법!**

- 현관문 앞에 문구 "보규야! 신발장에 자존심 넣어 두고 나가니?"라는 문구 보고 나오는 것이
  자존감, 멘탈 배터리 일반 충전이다.
- 강의가 있건 없건 무조건 집을 나서는 것이 자존감, 멘탈 배터리 일반 충전이다.
- 강의 2~3시간 전 강의장 근처에 도착해서 책 읽는 것이 자존감, 멘탈 배터리 일반 충전이다.
- 강의 1시간 전 강의 마음가짐을 준비하는 것이 자존감, 멘탈 배터리 일반 충전이다.

- 책 메모한 것을 점심시간 때 지인 450명에게 보내는 것이 자존감, 멘탈 배터리 고속 충전이다.
- 배워서 남 주자는 마인드를 실천하는 것이 자존감, 멘탈 배터리 고속 충전이다.
- 한 달에 책 15권 읽는 것이 자존감, 멘탈 배터리 일반 충전이다.
- 담배, 술, TV, 게임 안 하는 것이 자존감, 멘탈 배터리 일반 충전이다.
- 전신 장기기증(160명에게 새로운 삶을 준다.)하고 건강관리하는 것이 자존감, 멘탈 배터리
  고속 충전이다.

20,000명 심리 상담, 코칭으로 알게 된
셀프 자존감, 멘탈 충전하는 방법!

- 길 가다 전단지 받는 것이 자존감, 멘탈 배터리 고속 충전이다.
  (그분이 1초라도 먼저 집에 갈 수 있기에)
- 쓰레기를 버리지 않는 것이 자존감, 멘탈 배터리 일반 충전이다.
- 사랑의 전화 카운슬러 봉사하는 것이 자존감, 멘탈 배터리 고속 충전이다.
- 사랑의 전화 후원하는 것이 자존감, 멘탈 배터리 고속 충전이다.

- 주말마다 유치부 봉사하는 것이 자존감, 멘탈 배터리 고속 충전이다.
- 지인 강사들 상담해 주는 것이 자존감, 멘탈 배터리 고속 충전이다.
- 물 7잔 마시는 것이 자존감, 멘탈 배터리 일반 충전이다.
- 탄산음료, 주스 줄이는 것이 자존감, 멘탈 배터리 일반 충전이다.
- 자기관리, 긍정의 모든 것이 자존감, 멘탈 배터리 일반 충전이다.

 20,000명 심리 상담, 코칭으로 알게 된
셀프 자존감, 멘탈 충전하는 방법!

- 마트에서 물건 사고 계산할 때 점원이 편하게 바코드를 찍을 수 있도록 구매한 모든 제품 바코드를 보이게 올려놓으니 점원이 하는 말 "마트 10년 동안 고객님 같은 분은 처음이네요. 바코드가 보이게 해줘서 너무 편했습니다. 너무 감사합니다."라는 말에 "별말씀을요." 말해주며 서로가 행복해지는 것이 자존감, 멘탈 배터리 고속 충전이다.

- 편의점 범죄 하루 42건이고 한 해 15,000건이다. 편의점에서 일하시는 분들 고충을 덜어 주기 위해 박카스 사서 주는 것이 자존감, 멘탈 배터리 고속 충전이다.

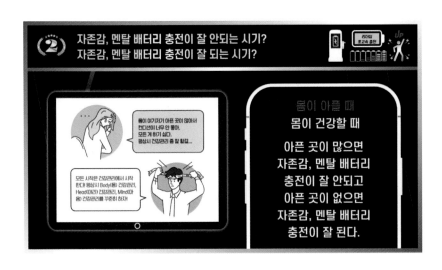

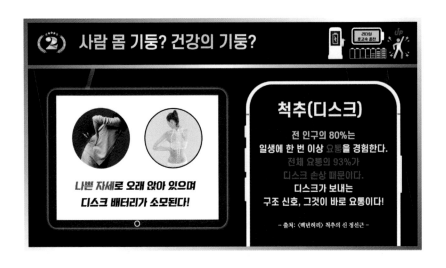

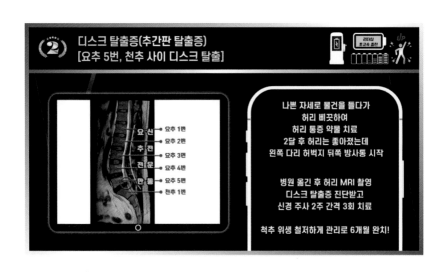

디스크 탈출증(추간판 탈출증)
[요추 5번, 천추 사이 디스크 탈출]

요 신
추 전
진 운
만 물

- 요추 1번
- 요추 2번
- 요추 3번
- 요추 4번
- 요추 5번
- 천추 1번

나쁜 자세로 물건을 들다가
허리 삐끗하여
허리 통증 약물 치료
2달 후 허리는 좋아졌는데
왼쪽 다리 허벅지 뒤쪽 방사통 시작

병원 옮긴 후 허리 MRI 촬영
디스크 탈출증 진단받고
신경 주사 2주 간격 3회 치료

척추 위생 철저하게 관리로 6개월 완치!

디스크 탈출증(추간판 탈출증)
[요추 5번, 천추 사이 디스크 탈출]

Before   **After**

척추 위생 6달
약물 치료 2개월
신경 주사 3회 (2주간격)

척추위생

허리에 좋은 자세를 유지하자는 것이다. 피부
에 상처가 났을 때, 가만히 두면 저절로 상처
가 아무는 것과 같다. 찢어지거나 염증이 생
긴 허리 디스크도 좋은 자세를 유지해 준다면
충분히 회복될 수 있지만 좋지 않은 자세, 운
동 등을 통해 지속적으로 디스크에 스트레스
를 가한다면 회복이 될 수 없다는 것이다.

- 출처: 〈백년허리〉 척추의 신 정선근 -

191

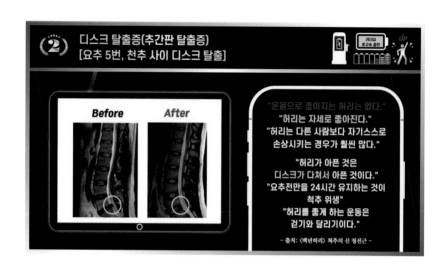

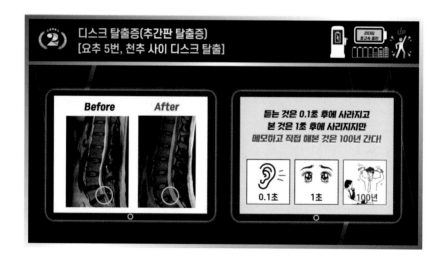

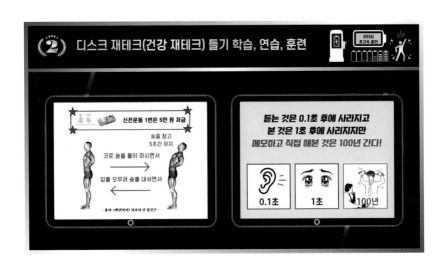

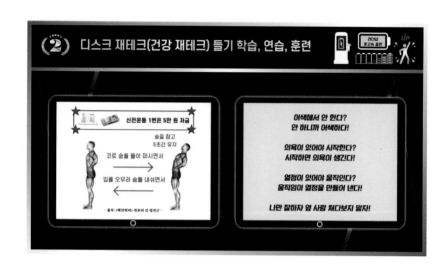

디스크 통증 수술 없이 낫는 방법!

온몸을 자유롭게 움직일 수 있는 힘 그 중심에는 척추, 그리고 허리가 있다. 그러나 일평생 수도 없이 수그리고 굽힐 수밖에 없는 허리. 전 국민의 80퍼센트가 한 번쯤은 허리 통증을 겪는다. 같은 척추에서 비롯된 목의 통증 또한 그 누구도 자유로울 수 없다. 일상을 무너뜨리는 허리와 목의 통증.

정선근 교수(척추의신): 본인의 허리 디스크를 일상생활 속에서 계속 찢고 있다는 뜻입니다. 병원에서 해드릴 건 없어요. 본인만 잘하면 됩니다. 제가 도와드릴 거는 지금 병원에서 약을 드리거나 주사하거나 시술할 건 전혀 없습니다. 병원에서 치료할 게 아니고 본인 스스로 치료하셔야 됩니다.

수술 없이 생활 속 작은 노력만으로도 심각한 통증에서 벗어날 수 있다고 하는 정선근 교수.

정선근 교수(척추의신): 좋은 자세로 가만히 있기만 하면 디스크가 스스로 붙는 힘이 있기 때문에 시간만 어느 정도 지나면 좋아지게 되어 있습니다.

허리 통증의 대부분이 디스크 손상이나 디스크 탈출 때문이다. 척추는 우리 몸 중심 목에서부터 엉덩이까지 뻗어있다. 목쪽 뼈인 경추는 일곱 개, 가슴 부분 뼈인 흉추는 열 두개, 허리 쪽 뼈인 요추는 다섯개 그리고 나머지 엉덩이와 꼬리뼈 쪽에 천추와 미추가 있다. 척추뼈는 여러 개의 뼈가 디스크로 연결되어 이루어져 있다. 척추뼈 속에는 척수 즉 신경이 지나간다. 신경을 둘러싸고 있는 것이 바로 척추관이다.

또 척추를 이루는 여러 개의 뼈 사이에는 물렁뼈 형태의 디스크가 있어 척추에 충격을 흡수하는데, 허리를 구부리면 서 있을 때에 비해 50%, 등받이가 없는 의자에 앉을 경우 서 있을 때에 비해 80% 이상 압력이 증가한다.

정선근 교수(척추의신): 우리 디스크가 손상이 되는 이유는 크게 3가지 있습니다. 아주 무거운 물건을 그냥 세게 들어 올리려다가 디스크 속에 압력이 높아지면서 툭 터져버리는 거죠. 한 번에 강한 힘으로 손상 받는 것 있고, 두 번째는 작은 힘이지만 그 반복이 계속되는 거예요. 낙숫물에 바위가 뚫리듯이.

김장하기 위해 1톤 덤프트럭에 있는 배추를 300포기를 내리다가 디스크가 터져서 오신 분이 계셨습니다.

작은 힘들이 계속 누적이 돼서 낙숫물에 바위가 파이듯 디스크가 찢어진다.

세 번째는 아주 작은 힘이라도 오랫동안 지긋이 수핵이 섬유륜을 밀어내는 경우입니다. 아주 작은 힘이라도 그게 나쁜 자세로 앉아 있는 게 가장 흔합니다.

디스크 손상되는 이유 3가지

1. 한 번에 강한 힘을 줌
2. 여러 번 작은 힘을 반복
3. 아주 작은 힘을 오래동안 지긋이 유지

디스크는 눌리는 압력에 따라 조금 찢어지기도 하고, 원래 있던 자리에서 돌출 혹은 탈출되기도 한다. 디스크는 한 덩어리의 물렁뼈가 아니다. 디스크는 섬유륜이라 불리는 여러 곳의 강한 껍질로 둘러싸여 있다. 가운데에는 젤리처럼 생긴 수핵이 있다. 뼈와 물렁뼈가 닿는 부위에는 종판이라는 탄성이 높은 구조물이 있어 디스크에 충격을 흡수한다.

디스크가 압력을 받으면 주로 손상을 입는 부분은 디스크를 감싸고 있는 껍질인 섬유륜이다. 통증은 섬유륜이 손상되면서부터 시작된다. 그 상태에서 허리를 계속적으로 심하게 굽히면 섬유륜은 얇아지고 수핵은 건조해진다. 결국은 수핵이 섬유륜을 찢고 나와 디스크 탈출증이 생긴다.

그 결과 통증은 더 심해진다. 이러한 디스크 손상 과정은 실제 사체 실험에서 증명되기도 했다. 양쪽 뼈에 기계를 부착해 인위적으로 디스크를 손상시킨 후 허리를 굽혔다 폈다 하는 것과 같은 동작을 반복했을 때 처음에는 수핵이 섬유륜을 찢으면서 뒤로 밀리더니, 나중에는 섬유륜이 완전히 찢어져 수액이 디스크 밖으로 탈출하는 것을 발견했다.

디스크 탈출은 허리 통증을 일으키는 대표적인 원인인데 왜 어떤 사람은 허리만 아프고, 또 어떤 사람은 허리와 다리까지 아프게 되는 걸까? 허리 통증은 크게 두 가지다. 허리에 국한된 디스크성 통증과 다리까지 뻗치는 방사통이다. 디스크 속에 있는 수핵이 섬유륜에 찢어 상처가 생기면, 수핵 세포가 죽으면서 염증 물질이 생긴다. 이 과정에서 통증이 발생하게 되는데, 이것이 디스크성 통증이다. 허리 주위에만 통증에 국한되어 나타나는 경향이 있다.

디스크 섬유륜의 상처가 심해지면 섬유륜이 얇아지고 수핵도 건조해져, 수핵이 섬유륜을 찢고 밖으로 탈출한다. 이때 척추나 신경까지 눌려 다리가 저리기도 한다.

또 수핵이 탈출되면서 생긴 염증 물질이 신경에 닿아 신경 뿌리에 염증이 생긴 다음, 그 신경뿌리가 눌리거나 당겨질 때 심한 통증이 다리 쪽으로 뻗치는데, 이를 방사통이라고 한다.

방사통은 허리에서 통증이 시작하여 엉덩이를 지나 허벅지, 종아리, 발로 내려가는 양상을 보인다. 방사통의 고통은 상상을 초월한다. 디스크의 수핵이 껍질을 뚫고 탈출하면, 죽은 수핵에서 나온 염증 물질이 신경 뿌리와 그 뒤쪽으로 흘러나온다. 신경뿌리 뒤쪽엔 감각신경 세포들이 모여 있는 배측신경절이라는 신경 다발이 있는데, 이쪽에 염증 물질이 묻게 되면 극심한 통증이 유발된다.
결과적으로 방사통의 고통은 배측신경절과 밀접한 연관이 있다.

정선근 교수(척추의신): 방사통이 다양한 양상으로 나타나는 이유가 뭔가 하니, 신경 뿌리로 오는 감각신경세포들이 다 모여 있는 배측신경절이라는 곳에 염증이 생겨서 아픈 거고 그 배측신경절로 오는 감각신경은 저린거를 담당하는 감각신경, 뜨거운 걸 담당하는 감각신경, 찌르면 아픈 걸 담당하는 감각신경, 뼈에서 올라오는 감각신경, 근육에서 올라오는 감각신경들이 다 거기 모여 있기 때문에 거기만 딱 염증이 생기고 아프게 하면 온갖 기기묘묘한 통증을 느끼게 만들어져 있는 겁니다. 그게 이 허리 통증의 비밀입니다. 그 곡선(요추전만)이 있을 때 디스크가 가장 안정되게 됩니다.

수핵이 섬유륜을 뒤쪽으로 찢으면 많이 아프고 방사통도 생기고, 섬유륜을 뒤쪽으로 찢어서 신경을 건드리고 척추를 누르게 되고 수핵이 뒤로 밀리면 여러문제가 발생한다. 그런데 요추전만 하면 수핵이 앞으로 밀리게 돼 있습니다. 그렇기 때문에 요추전만이 중요하고요. 또 요추전만 자세로 있을 때 우리 몸의 무게중심이 가장 안정적이게 됩니다. 그렇다면 요추전만이 어떻게 디스크를 치유하게 되는 걸까? 허리 통증은 보통 디스크의 껍질은 섬유륜이 찢어지고 디스크 속에 있는 수핵이 터지면서 염증 물질이 생겨 발생한다. 하지만 염증 물질은 통증을 일으키는 것과 동시에 찢어진 섬유륜을 붙이는 역할도 한다.

피부의 상처가 자연 치유되는 것과 같은 원리다. 요추전만을 강조하는 것은 이 시기에 요추가 C자 모양이 되면 요추의 압박 효과로 찢어진 상처가 서로 잘 붙게 되기 때문이다. 반면 허리를 굽히는 자세로 섬유륜을 벌어지려 하면 상처가 서로 붙지 않아 상처가 아무는데 방해가 된다.

정선근 교수(척추의신): 칼로 손을 베여서 반창고를 붙이면 상처가 아물듯 똑같이 허리 디스크 섬유륜도 찢어졌다가 그걸 다시 벌리지만 않으면 붙어서 가만히 두면 섬유륜끼리 다시 붙어서 통증도 없어지고, 탈출되는 디스크 수핵도 막아줄 수 있고 기능을 다시 되찾게 되는 겁니다. 좋은 자세로 가만히 있기만 하면 디스크가 스스로 붙는 힘이 있기 때문에 시간만 어느 정도 지나면 좋아지게 되어 있습니다.

디스크의 자연 치유 효과는 여러 실험에서 증명됐다. 대표적인 한 실험을 보면, 디스크 탈출로 방사통을 앓는 환자 77명을 디스크 손상 정도에 따라 세 그룹으로 나누어 지켜봤는데, 가장 통증이 심했던 그룹에서 놀라운 결과가 나타났다. 77명 중 49명은 탈출된 디스크가 저절로 줄어들었고, 10명의 환자에서 탈출된 디스크가 흔적도 없이 사라졌다. 실제 이런 결과는 진료실에서 드물지 않게 확인할 수 있다. 특별한 치료를 하지 않았는데도 통증 발생 후 6개월 이상 시간이 지나면 디스크의 수핵이 줄어들거나 디스크에 찢어진 섬유륜이 회복돼 있는 것을 종종 볼 수 있다. 운동보다 좋은 자세로 허리 통증을 치유해야 한다고 말하는 정선근 교수. 그도 늘 허리를 뒤로 펴서 젖히는 신전자세를 유지한다.

그가 운동과 허리 치료의 상관관계에 대해 특별히 관심을 가지게 된 건 그 또한 심각한 허리 통증 환자였기 때문이다. 젊은 시절부터 일상적으로 운동했는데, 언제부턴가 허리가 아팠다.

정선근 교수(척추의신): 한 5~6년 정도 굉장히 심하게 아팠습니다. 저는 제가 한참 아플 때는 아, 나이가 40대 중반이 되면 누구나 다 이렇게 아픈 줄 알았어요. 누구나 다 아침에 일어나면 허리가 뻐근하고 정도의 차이는 있지 다 아프지 않나, 이런 생각을 했는데 그때는 당연히 이제 허리는 운동으로 치료해야 된다. 허리를 유연하게 해야 되고, 허리 근력을 강화해서 허리를 튼튼하게 해야 되고 그것도 굉장히 열심히 했습니다. 했는데 점점 더 굉장히 많이 아팠습니다. 디스크성 통증이 제 외래(진료에) 오는 어떤 환자들보다 심하게 많이 아팠습니다. 그렇게 계속 아프면서 내 환자분들 치료하는데 치료도 잘 안 되고 그래서 아~ 이거 허리 치료하는 운동이 분명히 내가 보기에 잘못된 것 같다고 생각을 들었다.

그 후 허리 통증과 관련된 다양한 지식을 공부했고, 전세계 척추 전문가들과도 적극적으로 교류했다. 그 과정을 거치면서 운동이 허리 통증이 나쁘고 자세가 좋아져야 허리 통증을 고칠 수 있다는 신념이 확고해졌다.

정선근 교수(척추의신): 허리가 아픈 이유는 허리 속에

들어가 있는 디스크가 찢어져서 아픈 거고 찢어지다 못해 그 속에 있는 수핵이 터져 나와서 아픈 건데 그거를 근력 운동으로 좋게 한다는 게 사실 알고 보면 잘못된 생각이었다는 거죠. 디스크는 그게 아물어야 좋아지는 거지 옆에 있는 근육이 커진다고 해서 그게 빨리 아무는 건 아니고 오히려 옆에 있는 근육을 세게 키우는 과정에서 디스크가 오히려 더 찢어 먹고 터뜨려 먹는다는 사실을 망각했던 것이죠.

척추관협착이 심하게 있는 상중하! 척추관협착증 단계 ! 경미하다. 보통 좁아졌다. 아주 심하게 좁아졌다. 관이 3분의2(중증 척추관협착증) 이상 좁아진 심하게 좁아진 사람들 100명을 모아놓고 척추관협착증 증상이 있습니까? 걸어가다가 아파서 자꾸 쉬십니까? 물어봤더니 100명 중에 83명은 전혀 아프지 않아요.

17명만 걷다가 방사통이 생긴다. 걸어가다 보면 허리가 뻐근해서 걸어가다 보면 다리에서 감각이 안 올라와서 허공을 밟는 것 같아요. 스펀지를 밟는 것 같아요. 빈대떡을 하나 붙여놓은 것 같아요. 그래서 자꾸 넘어질 것 같아요. 그래서 내가 쉽니다. 혹은 걸어가다 보면 다리에 힘이 빠지는 것 같아서 쉬어야 됩니다. 그런 분들이 100명 중에 17명밖에 없었습니다. 그렇다면 어떻게? 이게 좁아졌다고 해서 좁아진 사람 중에 하다 못해 70명은 아프고 30명은 안 아파야 그나마 좁아진 게 그게 원인이라고 말할 수 있지. 100명 중에 83%가 안 아파요. 그러면 아픈 17명이 문제가 있는 거죠. 그 사람들은 척추관이 좁아진 상태에서 최근에 새로운 디스크 손상이 있는 게 분명하다.

세계 최고 권위의 의학지 <뉴잉글랜드저널오브메디슨(2001)> 실린 논문에서도 요통의 93%가 디스크 손상 때문이고 4% 정도가 골절에서 비롯됐다고 보고하고 있다. 결과적으로 디스크뿐 아니라 척추관협착증이나 전방전위증 또한 디스크의 손상을 확인하고 이를 잘 치료하는 것이 허리 통증을 줄이는 해법인 것이다. 그렇다면 자세 교정 이외에 허리 통증을 줄이는 또 다른 방법은 없는 걸까?

정선근 교수(척추의신): 허리가 아플 때 치료하는 방법은 3가지가 있을 수 있습니다. 하나는 허리가 저절로 나을 때까지 기다리는 방법. 두 번째는 그 기다림이 너무 길 것 같으면 약을 먹는 방법. 세 번째는 좀 더 빨리 좋게 하고 싶으면 주사를 맞는 방법 이 세 가지가 있습니다. 신경이 압박이 돼서 그때는 염증이 아니고요. 그때는 압박입니다. 강한 압박으로 신경이 죽을 것 같다면 수술해야 한다. 근육 마비, 소변을 못 가리거나 할 때는 수술하는 게 적절합니다.

스테로이드 주사를 맞게 되면 즉각적으로 통증이 없어지기도 하는데 그건 대부분 마취제 때문이다. 실제 스테로이드로 인한 효과는 주사를 맞고 1, 2주 후부터 천천히 나타나며 약효는 2~3개월 지속된다. 그런데 주사를 맞고도 간혹 통증을 가라앉지 않는 경우가 있다. 왜 그럴까?

정선근 교수(척추의신): 저는 그렇게 생각합니다. 통증 조절이 잘 안 되는 방사통이 잘 해결되지 않는 것은 배측신경절에 염증이 생긴다는 사실을 잘 모릅니다. 의사가 주는 주사를 어디에다 묻혀야 되는지 잘 모릅니다. 꼴대가 어딘지 모르고 공차는 사람들이 많습니다. 공을 차도 정확하게 못 넣는 사람들이 많습니다. 또 척추 위생 개념이 없기 때문에 주사를 잘 낳아놓고도 나쁜 운동을 많이 시킵니다. 그러니까 금방 아프게 되는 겁니다. 전 인류의 80%가 허리 통증으로 고생을 하는데 나쁜 운동만 안 해도 그게 40%가 확 줍니다. 거기다가 약을 제대로 쓰고 주사를 제대로 하면 그 중에 20%는 해결이 됩니다. 나머지 20%는 척추위생을 잘하면 해결됩니다. 그래서 아픈 걸로 수술하는 경우는 극히 드뭅니다. 제 경험으로는 그렇습니다.

그렇다면 구체적으로 자세 교정을 얼마나 어떻게 해야

요추전만이 완성되는 걸까?

정선근 교수(척추의신): 신전동작을 통해서 요추전만을 조금 인위적으로 만들어주는 그런 동작이거든요. 다리를 어깨 넓이로 약간 벌리고 손을 허리 뒤로 가져가는데 양쪽 손을 허리에 갖다 붙이고 그다음에 배를 앞으로 내밀면서 상체를 뒤로 젖히면서 코로 숨을 들이쉬고, 머리도 같이 젖혀줍니다. 5초 유지 후 입으로 숨을 내쉬면서 돌아옵니다.

고혈압 알약을 하루에 몇 개? 먹어라 이런 식으로 딱 나오는 정답은 없습니다. 그렇지만 엎드려서 하는 신전동작은 엎드릴 때가 있어야 되니까 회사에서는 할 수 없잖아요. 아침저녁으로 잠자기 전 자고 일어났을 때 한 번씩 해주는 게 좋고 엎드려서 하는 신전운동은 한 번 할 때 한 5분 내지 10분 정도 유지해 주시면 좋고요. 특히 아침에 일어났는데 허리가 갑자기 뻐근하다. 이런 분들은 바로 그냥 엎드려서 신전동작을 해 주시면 좋습니다.

그 다음에 서서 하는 신전동작이나 앉아서 하는 신전동작은 자주 하면 할수록 좋긴 하나 자주 한다고 해서 1분에 한 번씩 할 수는 없는 거라 보통 상황이 허락하는 대로 한 30분에 한 번 정도 해주시면 좋고 한 번 할 때마다 5초 유지하다가 돌아오고 5초 유지하다가 돌아오고 하는 걸 한 5번 정도 해주시면 좋습니다.

<유튜브 EBS 건강>

▶ 참고 디스크 내용!

디스크 탈출증 감기처럼 저절로 낫는다?

디스크 탈출증으로 좌골신경통을 치료하지 않고 쭉 지켜봤더니, 이럴 수가!

신경뿌리 염증이 자연적으로 호전되는 현상을 사람에게서도 기대할 수 있을까? 2001년 핀란드 오울루(Oulu)대학병원의 재활의학과 의사야로 카피넨(Jaro Karppinen) 박사는 신경뿌리 주변에 스테로이드를 주입하는 경막외 스테로이드 주사 치료의 효과를 보여주는 임상시험 결과를 발표했다. 디스크 탈출증으로 생긴 좌골신경통이 있는 환자를 무작위로 두 그룹으로 나누어 한 그룹은 스테로이드를, 다른 한 그룹은 같은 양의 생리식염수, 즉 아무 효과가 없는 위약(僞藥, placebo)을 주사하고 좌골신경통의 변화를 관찰하였던 것이다.

결과는 스테로이드 주사 치료를 받지 않은 환자도 26주, 즉 6개월 정도 지나자 좌골신경통이 확연히 완화되었다는 것이다. 이 연구의 원래 취지는 '신경뿌리에 스테로이드를 주사하는 경막 외 스테로이드 주사는 좌골신경통의 초기 (6개월 이내)에 통증을 줄이는 효과가 있고 1년이 지나면 큰 차이가 없다.'라는 것을 보여 주는 것이었다.

그렇지만 결과를 자세히 들여다보면 또 다른 흥미로운 사실을 발견하게 된다. 바로 '디스크 탈출로 생긴 좌골신경통은 가만두어도 6개월이 지나면 저절로 낫는다.'라는 것이다. 신기하지 않은가? 엉덩이와 허벅지가 땅겨서 허리를 펴지도, 똑바로 걷지도 못할 정도로 아픈 좌골신경통에 특별한 치료를 하지 않아도 시간이 지나면 감기가 낫듯이 저절로 좋아진다는 것이다! 더욱 재미있는 것은 탈출된 디스크 덩어리가 쭈그러드는데 평균 1~2년 걸리는데 (1권 2장의 '고모리 박사, 탈출된 디스크는 어디로 갔소?' 참조) 좌골신경통은 6개월 만에 회복된다는 것이다. 신경뿌리의 염증이 좌골신경통에 기여하는 바가 크다는 것을 실감하게 하는 대목이다.

기억해야 할 것은 좌골신경통이 저절로 좋아지는 속성 때문에 사이비 치료가 기승을 부린다는 것이다. 이에 관한 문제를 하나 낸다. 다음 중 허리 디스크 있는 사람이 6개월간 지속하면 좌골신경통 증상이 좋아지는 것은?

① 매일 아침 동쪽 하늘을 보고 나는 좋아질 것이라고 다섯 번 외친다.
② 싸이의 강남 스타일 말춤을 하루 5분씩 춘다.
③ 허리에 좋다는 신비의 약을 매일 먹는다.
④ 특수 지압을 매일 받는다.
⑤ 세끼 밥 먹고 일상생활을 한다.

정답은? 모두 맞다.

《백년허리 1》

방탄 리더십 목차 1 ~ 5

5

4

3 삼성(진정성, 전문성, 신뢰성)을 높이는
습관을 통해 리더 행복 초고속 충전하는 방법

2

1

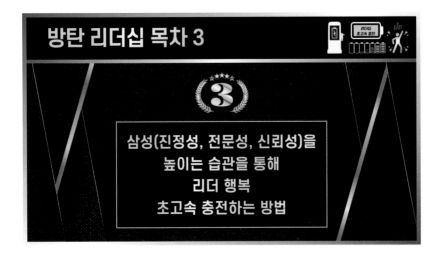

방탄 리더십 목차 3

3

삼성(진정성, 전문성, 신뢰성)을
높이는 습관을 통해
리더 행복
초고속 충전하는 방법

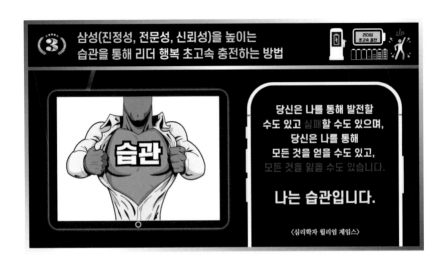

③ 삼성(진정성, 전문성, 신뢰성)을 높이는 습관을 통해 리더 행복 초고속 충전하는 방법

당신은 나를 통해 발전할 수도 있고 실패할 수도 있으며, 당신은 나를 통해 모든 것을 얻을 수도 있고, 모든 것을 잃을 수도 있습니다.

나는 습관입니다.

〈심리학자 윌리엄 제임스〉

③ 삼성(진정성, 전문성, 신뢰성)을 높이는 습관을 통해 리더 행복 초고속 충전하는 방법

꼰대십 습관

삼성 리더십 습관

리더십 습관?
꼰대십 습관?
삼성 리더십 습관?

삼성 리더십이 나오는 사람은 삼성 리더십 습관이 있고 꼰대십이 나오는 사람은 꼰대십 습관이 있다. 습관이 리더를 만들고 꼰대를 만든다!

나는 누구일까요?

나는 당신의 영원한 동반자입니다.

당신의 훌륭한 조력자이자,

가장 무거운 짐이기도 합니다.

나는 당신을 성공으로 이끌기도 하고 실패의 나락으로
끌어내리기도 합니다. 나는 언제나 당신이 하는 대로
따라갑니다. 그렇지만 당신이 하는 행동의 90%는 나로
인해 좌우됩니다.

나는 모든 위인들의 종이자, 모든 실패자의 주인입니다.

당신은 나를 통해 발전할

수도 있고 실패할 수도 있으며,

당신은 나를 통해 모든 것을 얻을 수도 있고,

모든 것을 잃을 수도 있습니다. 나는 습관입니다.

<심리학자 윌리엄 제임스>

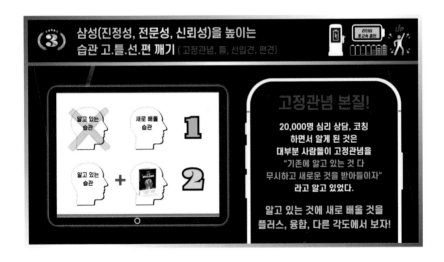

지금부터 10초동안 보여드립니다. 당신의이름을 찾으세요!

아	서	배	난	요	명	기	갓	세	븐	달	십	빅	장	브
련	절	줌	아	는	형	님	둔	에	디	침	중	복	견	벽
포	섭	추	궁	익	콘	정	담	은	당	신	의	이	름	상
백	방	탄	소	년	단	궁	매	머	해	린	내	복	반	양
세	븐	틴	댁	식	비	엑	소	촌	달	블	랙	핑	크	화
관	갈	존	면	독	솔	래	경	절	규	촌	드	석	홍	련
태	삼	벼	걸	스	데	이	유	빅	풍	소	너	시	대	종
트	와	이	스	교	존	성	밤	망	남	복	각	관	위	너
여	자	친	구	제	화	조	가	단	감	를	지	마	마	무

아	서	배	난	요	명	기	갓	세	브	달	십	빅	장	브
련	절	줌	아	는	형	님	둔	에	디	킴	중	복	견	벽
포	섬	추	궁	익	콘	정	답	은	당	신	의	이	름	상
백	방	탄	소	년	단	궁	매	머	해	린	내	복	반	양
세	븐	틴	택	식	비	엑	소	촌	달	블	랙	핑	크	화
관	갈	존	면	독	솔	래	경	절	규	드	너	석	홍	련
태	삼	벼	걸	스	데	이	유	빅	풍	촌	각	시	대	종
트	와	이	스	교	존	성	밤	망	남	소	복	관	위	너
여	자	친	구	제	화	조	가	단	감	룰	룔	지	마	무

마지막 10초동안 보여 드립니다. 힌트 당신의이름 글자를 찾으세요^^

아	서	배	난	요	명	기	갓	세	븐	달	십	빅	장	브
련	절	줌	아	는	형	님	둔	에	디	킴	중	복	견	벽
포	섬	추	궁	익	콘	정	담	은	당	신	의	이	름	상
백	방	탄	소	년	단	궁	매	머	해	린	내	복	반	양
세	븐	틴	댁	식	비	엑	소	촌	달	블	랙	핑	크	화
관	갈	존	면	독	솔	래	경	절	규	촌	드	석	홍	련
태	삼	벼	걸	스	데	이	유	빅	풍	소	녀	시	대	종
트	와	이	스	교	존	성	밤	망	남	복	각	관	위	너
여	자	친	구	제	화	조	가	단	감	룔	지	마	마	무

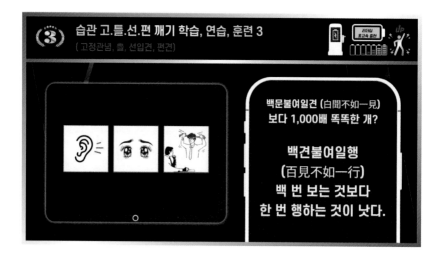

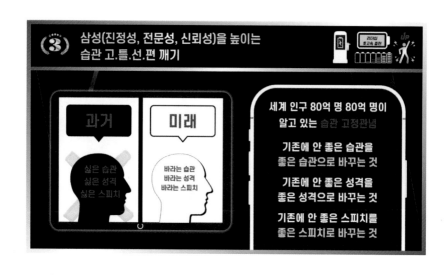

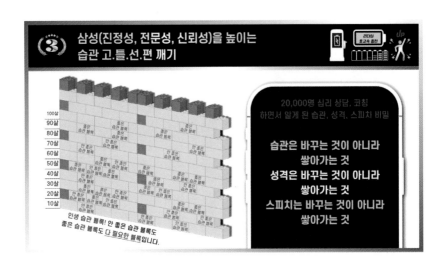

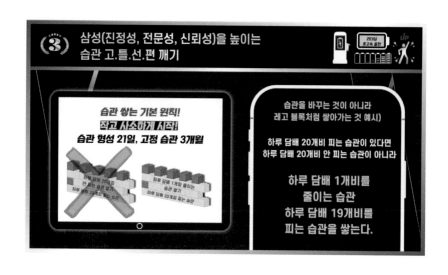

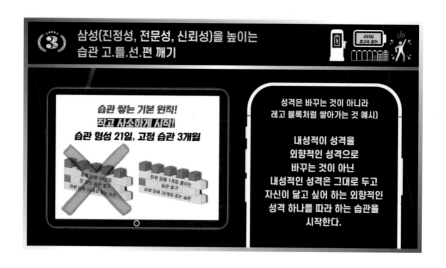

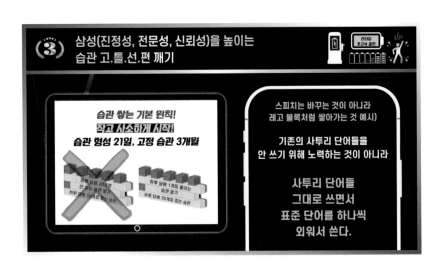

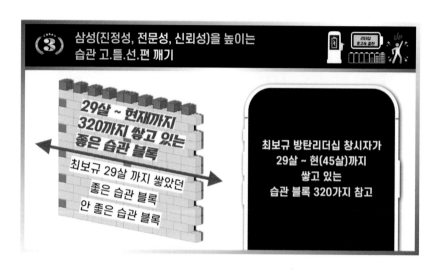

최보규 방탄리더십 전문가의 습관 320가지 (2008년 ~ 진행 중)

1. 전신 장기기증
2. 유서 써놓기
3. 꿈 목표 설정
4. 영양제 챙기기
5. 꿀 챙기기
6. 계단 이용
7. 8시간 숙면
8. 취침 4시간 전 안 먹기
9. 기상 후, 자기 전 스트레칭 10분
10. 술, 담배 안 하기
11. 하루 운동 30분
12. 밀가루 기름진 음식 줄이기
13. 자극적인 음식 줄이기

14. 얼굴 눈 스트레칭
15. 박장대소 하루 2회
16. 기상 직후 양치질 물먹기
17. 물 7잔 마시기
18. 밥 먹는 중 물 조금만
19. 국물 줄이기
20. 밥 먹고 30후 커피 마시기
21. 기상 직후 책 듣기
22. 한 달 책 15권 보기
23. 책 메모하기
24. 메모 ppt 만들기
25. SNS 캡처 자료수집
26. 강의 자료 항상 찾기

27. 좋은 글 점심때 보내기
28. 사랑의 전화 봉사
29. 주말 유치원 봉사
30. 지인 상담봉사
31. 강의 재능기부
32. 사랑의 전화 후원
33. 강의자료 주기
34. TV 줄이기
35. 부정적인 뉴스 줄이기
36. 솔선수범하기
37. 지인들 선물 챙기기
38. 한 달 한번 등산
39. 몸에 무리 가는 행동 안 하기
40. 하루 감사 기도 마무리

41. 탄산음료, 과일주스 줄이기
42. 아침 유산균 챙기기
43. 고자세
44. 스마트폰 소독 2번
45. 게임 안 하기
46. SNS 도움 되는 것 공유
47. 전단지 받기
48. 긍정, 멘탈 사용설명서 도구 스티커 나눠주기
49. 학습자 선물 주기
50. 강의 피드백 해주기
51. 자일리톨 원석 먹기 하루 3개
52. 찬물 줄이고 물 미온수 먹기
53. 소금물 가글
54. 알람 듣고 바로 일어나기

최보규 방탄리더십 전문가의 습관 320가지 (2008년 ~ 진행 중)

55. 오전 10시 이후 커피 먹기
56. 믹스커피 안 먹기
57. 강의 족보 주기
58. 강의 동영상 주기
59. 강의 녹음파일 주기
60. 블로그 좋은 글 나누기
61. 인스턴트 음식 줄이기
62. 아이스크림 줄이기
63. 빨리 걷기
64. 배워서 남 주자 실천(PPT)
65. 읽어서 남 주자 실천(책 속의 글)
66. 오른손으로 차 문 열기
67. 오손도손 오손 왼손 캠페인 전파하기
68. 운전 중 스마트폰 안 보기
69. 취침 전 30분 독서
70. 취침 전 30분 스마트폰 안 보기
71. 오늘이 마지막인 것처럼 섬기고 영원히 살 것처럼 배우기
72. 자존심 신발장에 넣어 두고 나오기
73. 내가 받은 상처는 모래에 새기고 내가 받은 은혜는 대리석에 새기기
74. 어제의 나와 비교하기
75. 어제 보다 0.1% 성장하기
76. 세상에서 가장 중요한 스펙? 건강, 태도 실천하기
77. 나방이 되지 않기
78. 마라톤 10주 프로그램 시작
79. 마라톤 5km 도전
80. 마라톤 10km 도전
81. 마라톤 하프 도전
82. 마라톤 풀코스 도전
83. 자기 전 5분 명상
84. 뱃살 스트레칭 3분
85. 아침 동기부여 사진 보내기 8시
86. 저녁 동기부여 사진 보내기 9시
87. 나의 1%는 누군가에게는 100%가 될 수 있다. 실천
88. 150세까지 지금 몸매, 몸 상태 유지 관리
89. 아침 달걀 먹기
90. 운동 후 달걀 먹기
91. 헬스장 등록
92. 오래 살기 위해서가 아니라 옳게 살기 위해 노력하는 사람이 되자
93. 남들이 하는 거 안 하기 남들이 안 하는 거 하기

최보규 방탄리더십 전문가의 습관 320가지 (2008년 ~ 진행 중)

94. 아침 결명자차 마시기
95. 저녁 결명자차 마시기
96. 품블러 스트레칭
97. 어제보다 나은 내가 되자
98. 남들이 안 하는 강의 분야 도전
99. 플랭크 운동
100. 스쿼터 운동
101. 계산할 때 양손으로 주고받고 인사
102. 명함 거울 선물 주기
103. 40살 되기 전 책 출간
104. 반 100년 되기 전 책 5권 집필하기
105. 유튜브[나다운TV] 강사심폐소생술
106. 유튜브[나다운TV] 나다운심폐소생술
107. 아.원.때.시.후.성.실 말 줄이기
108. 나다운 강사 책 유튜브 올려 함께 잘 되기
109. 리플렛으로 동기부여 시켜주기
110. 아침 8시 동기부여 메시지 만들어 보내기
111. 저녁 9시 동기부여 메시지 만들어 보내기
112. 어플 책 속의 한 줄에 책 내용 올리기
113. 책 내용 SNS 오픈
114. 3번째 책 원고 작업 시작
115. 4번째 책 자료수집
116. 뱃살관리 스트레칭 아침, 저녁 5분
117. 3번째 책 기획출판계약
118. 최보규강사사관학교 시작
119. 최보규강사사관학교 지회 원장 임명
120. 올 노(올바른 노력)공식 오픈
121. 행복, 방탄멘탈 공식 자자자자멘습긍 오픈
122. 생화 네 잎 클로버 선물 주기
123. 세바시를 통해 극단적인선택 예방 전파!
124. 세바시를 통해 자자자자멘습긍 사용설명서 전파!
125. 4번째 책 원고 시작 2021년 1월 출간 목표!
126. 전염성이 강한 상황 왔을 때 대처하기 위한 준비!
127. 코로나19 극복을 위한 공적 마스크 독고 어르신들 주기!

128. 아내를 위해 앉아서 소변보기
129. 들으라 하지 말고 듣게 하자
130. 좋은 사람이 되지 말고 좋은 사람 되어주자.
131. 좋아하게 하지 말고 좋아지게 하자
132. 보여주는(인기)인생을 사는 것보다
     보여지는(인정)인생을 살아가자.
133. 나 이런 사람이야 말하지 않아도
     이런 사람이구나 느끼게 하자.
134. 마음을 얻으려 하지 말고 마음을 열게 하자.
135. 믿으라 하지 말고 믿게 하자
136. 나에 행복 0순위는 아내의 행복이다!
     일어나서 자기 전까지 모든 것 아내에게 집중!
137. 아내 말을 잘 듣자! 하는 일이 잘 된다!
138. 아버지가 어머니에게 이렇게 대했으면 하는 남편이
     되겠습니다. 매형들이 누나들에게 이렇게 대했으면
     하는 남편이 되겠습니다.
139. 내 몸은 아내거다. 빌려 쓰는 거다! 담배, 술, 몸에
     무리가 가는 모든 것 자제 하고 건강관리, 자기관리
     하겠습니다.
140. 아내의 은혜를 보답하기 위해 머리, 가슴, 몸, 돈으로
     실천하겠습니다!
141. 아내에게 받은 사랑(내조) 보답하기 위해 머리, 가슴, 몸, 돈
     으로 실천하겠습니다.
142. 아내를 몸, 마음, 돈으로 평생 웃게 해서 호강시켜주겠습니다.
143. 아내를 존경하겠습니다. 세상에 아내 같은 여자 없습니다.
144. 아내 빼고는 모든 여자는 공룡이다! 정신으로 살겠습니다.
145. 많은 사람들에게 인정받는 남편이 아닌 아내에게 인정받는
     남편이 되기 위해 먼저 맞추가는 남편이 되겠습니다.
146. 아내에게 무조건 지겠습니다.
     이기려 하지 않겠습니다. 아내 앞에서는 나직성자체를
     내려놓겠습니다. (나이, 직급, 성별, 자존심, 체면)
147. 지저분한 것(음식물 쓰레기, 화장실 청소)다 하겠습니다.
148. 함께하는 한 가지를 위해 개인 생활 10가지를 감수하겠습니다.
149. 최강자 학습지 시작 (최보규의 강사학습지, 자기계발학습지)
150. 홍코 시작(집에서 화상 1:1 케어)
151. 불자의 인생 시작
152. 나는 복덩어리다. 나는 운이 좋은 사람이다.
153. 베스트셀러 3권 달성 노하우 책쓰기 교육 시작
154. 유튜브, 유튜버 100년 하는 노하우 교육 시작

155. 방탄멘탈마스터 양성 시작
156. 나다운 방탄멘탈 책으로 극단적인 선택 줄이기
157. 아침 8시, 저녁 9시 방탄멘탈공식 SNS 공유
158. 5번째 책 2022년 나다운 방탄사랑
159. 2023 나다운 방탄멘탈 2
160. 2024 나다운 책 쓰기(100년 가는 책)
161. 2025 유튜버가 아니라 나다운 나튜버 (100년 가는 나튜버)
162. 2026 나다운 강사3(Q&A)
163. 2027 나다운 명언
164. 2029 나다운 인생(50살 자서전)
165. 줌 화상 기법 강의, 코칭(최보규송사관학교)
166. 언택트(비대면)시대에 맞게 아날로그 방식 80%를
     디지털 방식 80%로 체인지
167. 변기 뚜껑 닫고 물 내리기
168. 빨래개기
169. 요리하기, 요리책 내기 위한 자료 수집
170. 화장실 물기 제거
171. 부엌 청소, 집 청소, 화장실 청소
172. 사랑해 100번 표현하기
173. 아내에게 하루 마무리 안마 5분 해주기
174. 헌혈 2달에 1번
175. 헌혈증 기부
176. 네 번째 책 행복 히어로 책 출간
177. 극단적인 선택률, 이혼율 낮추기 위한 교육 시작
178. 행복율 높이기 위한 교육 시작
179. 다섯 번째 책 원고 작업 시작
180. 여섯 번째 책 자료 수집
181. 운전 중 양보 해 줄 때, 받을 때 목례로 인사하기.
182. 다섯 번째 책 나다운 방탄습관블록 출간
183. 습관사관학교 시스템 완성
184. 습관 코칭, 교육 시작
185. 아침 8시, 저녁 9시 습관 메시지 sns 공유
186. 습관 전문가 되어 무료 케어 상담 시작
187. 습관 콘텐츠 유튜브<행복히어로>에 무료 오픈 시작

최보규 방탄리더십 전문가의 습관 320가지 (2008년 ~ 진행 중)

188. 여섯 번째 책 원고 작업 시작
189. 최보규상(대한민국 노벨상) 버킷리스트 설정
190. 2037년까지 운영진, 자금(상금), 시스템 완성 목표 설정
191. 최보규상을 1,000년 동안 유지하기 위한 공부
192. 일곱 번째 자존감 책 원고 작업
193. 여덟 번째 책 쓰기 책 자료 수집, 공부
194. 앉아서 일할 때 50분의 한번 건강 타이머 누르기
195. 세계 최초 자기계발쇼핑몰(www.자기계발아마존.com)
196. 온라인 건물주 분양 시작(월세, 연금성 소득 올릴 수 있는 시스템)
197. 일곱, 여덟 번째 책 출간(나다운 방탄자존감 명언 Ⅰ, Ⅱ)
198. 자기계발코칭전문가 1급, 2급 자격증 교육 시작
199. 방탄자기계발사관학교 Ⅰ, Ⅱ, Ⅲ, Ⅳ 4권 출간
200. 2021년 목표였던 9권 책 출간 달성!
201. 하루 3번 호흡 스펙 습관 쌓기 시작
    (코 8초 마시고, 5초 멈추고, 입으로 8초 내뱉기)
202. 장모님께 출간 한 책 12권 드리기
203. 2022년 최보규의 책 쓰기9 원고 작업 시작
204. 100만 프리랜서를 도움주기 위한 프로젝트 시작
205. 방탄 자존감 코칭 기술
206. 방탄 자신감 코칭 기술
207. 방탄 자기관리 코칭 기술
208. 방탄 자기계발 코칭 기술
209. 방탄 멘탈 코칭 기술
210. 방탄 습관 코칭 기술
211. 방탄 긍정 코칭 기술
212. 방탄 행복 코칭 기술
213. 방탄 동기부여 코칭 기술
214. 방탄 정신교육 코칭 기술
215. 꿈 코칭 기술
216. 목표 코칭 기술
217. 방탄 강사 코칭 기술
218. 방탄 강의 코칭 기술
219. 파워포인트 코칭 기술
220. 강사 트레이닝 코칭 기술
221. 강사 스킬UP 코칭 기술
222. 강사 인성, 멘탈 코칭 기술

최보규 방탄리더십 전문가의 습관 320가지 (2008년 ~ 진행 중)

223. 강사 습관 코칭 기술
224. 강사 자기계발 코칭 기술
225. 강사 자기관리 코칭 기술
226. 강사 양성 코칭 기술
227. 강사 양성 과정 코칭 기술
228. 퍼스널브랜딩 코칭 기술
229. 방탄 리더십 코칭 기술
230. 방탄 인간관계 코칭 기술
231. 방탄 인성 코칭 기술
232. 방탄 사랑 코칭 기술
233. 스트레스 해소 코칭 기술
234. 힐링, 웃음, FUN 코칭 기술
235. 마인드컨트롤 코칭 기술
236. 사명감 코칭 기술
237. 신념, 열정 코칭 기술
238. 팀워크 코칭 기술
239. 협동, 협업 코칭 기술
240. 버킷리스트 코칭 기술
241. 종이책 쓰기 코칭 기술
242. PDF 책 쓰기 코칭 기술
243. PPT로 책 출간 코칭 기술
244. 자격증 교육 커리큘럼으로 책 출간 코칭 기술
245. 자격증 교육 커리큘럼으로 영상 제작 코칭 기술
246. 책으로 디지털콘텐츠 제작 코칭 기술
247. 책으로 온라인 콘텐츠 제작 코칭 기술
248. 책으로 네이버 인물 등록 코칭 기술
249. 책으로 강의 교안 제작 코칭 기술
250. 책으로 민간 자격증 만드는 코칭 기술
251. 책으로 자격증 과정 8시간 제작 코칭 기술
252. 책으로 유튜브 콘텐츠 제작 코칭 기술
253. 유튜브 시작 코칭 기술
254. 유튜브 자존감 코칭 기술
255. 유튜브 멘탈 코칭 기술
256. 유튜브 습관 코칭 기술
257. 유튜브 목표, 방향 코칭 기술
258. 유튜브 동기부여 코칭 기술

최보규 방탄리더십 전문가의 습관 320가지 (2008년 ~ 진행 중)

259. 유튜브가 아닌 나튜브 코칭 기술
260. 유튜브 영상 제작 코칭 기술
261. 유튜브 영상 편집 코칭 기술
262. 유튜브 울림증 극복 코칭 기술
263. 유튜브 썸네일 디자인 제작 코칭 기술
264. 유튜브 콘텐츠 제작 코칭 기술
265. 유튜브 수입 연결 제작 코칭 기술
266. 유튜브 영상 홍보 코칭 기술
267. 홈페이지 무인시스템 연결 제작 코칭 기술
268. 홈페이지 자동 결제 시스템 제작 코칭 기술
269. 홈페이지 비메오 연결 제작 코칭 기술
270. 홈페이지 렌탈 시스템 제작 코칭 기술
271. 홈페이지 디자인 제작 코칭 기술
272. 홈페이지 제작 코칭 기술
273. 재능마켓 크몽 PDF 입점 코칭 기술
274. 재능마켓 크몽 강의 입점 코칭 기술
275. 재능마켓 크몽 이미지 디자인 제작 코칭 기술
276. 재능마켓 크몽 입점 영상 제작 코칭 기술
277. 재능마켓 크몽 입점 영상 편집 코칭 기술
278. 재능마켓 크몽 VOD 입점 코칭 기술
279. 클래스101 영상 입점 코칭 기술
280. 클래스101 PDF 입점 코칭 기술
281. 클래스101 이미지 디자인 제작 코칭 기술
282. 클래스101 영상 제작 코칭 기술
283. 클래스101 영상 편집 코칭 기술
284. 탈잉 영상 입점 코칭 기술
285. 탈잉 PDF 입점 코칭 기술
286. 탈잉 이미지 디자인 제작 코칭 기술
287. 탈잉 영상 제작 코칭 기술
288. 탈잉영상 편집 코칭 기술
289. 탈잉 VOD 입점 코칭 기술
290. 클래스U 영상 입점 코칭 기술
291. 클래스U 영상 제작 코칭 기술
292. 클래스U 영상 편집 코칭 기술
293. 클래스U 이미지 디자인 제작 코칭 기술
294. 클래스U 커리큘럼 제작 코칭 기술

최보규 방탄리더십 전문가의 습관 320가지 (2008년 ~ 진행 중)

295. 인클 입점 코칭 기술
296. 자신 분야 콘텐츠 제작 코칭 기술
297. 자신 분야 콘텐츠 컨설팅 코칭 기술
298. 자기계발코칭전문가 1시간 ~ 1년 코칭 기술
299. 강사코칭전문가, 리더십코칭전문가 1시간 ~ 1년 코칭 기술
300. 온라인 건물주 되는 코칭 기술
301. 강사 1:1 코칭기법 코칭 기술
302. 전문 분야 있는 사람 1:1 코칭 기법 코칭 기술
303. CEO, 대표, 리더, 협회장 품위유지의무 코칭 기술
304. 은퇴 준비 코칭 기술
305. 2023년 나다운 방탄리더십 1, 2, 3, 4, 5 출간
306. 나다운 방탄리더십 아침, 저녁 메시지 시작
307. 강사코칭전문가 자격증 시스템 시작
308. 방탄 리더십 원고 작업 시작
309. 방탄 리더 자존감 원고 작업 시작
310. 방탄 리더 멘탈 원고 작업 시작
311. 방탄 리더 습관 원고 작업 시작
312. 방탄 리더 행복 원고 작업 시작
313. 방탄 리더 자기계발 원고 작업 시작
314. 방탄 리더 코칭 원고 작업 시작
315. 마트에서 구입한 물건들 바코드 정렬해서 올리기
316. 장모님 머리 염색해 주기
317. 처남 금연, 금주 도와주기
318. 한 해 시작할 때 습관 영상 업로드
319. 결혼기념일 뺏지, 명찰 제작
320. 뒤꿈치 들기 운동 시작

20,000명 상담, 코칭 하면서 알게 된 리더 습관의 비밀!
세상의 수많은 습관 리더 공식이 있다. 그 리더 습관 공식 중에 나한테 맞는 것은 잘 없다. 그럴 수밖에 없는 이유가 있다.

세계 인구 80억 명이다. 그렇다면 습관 공식 80억 개다. 나다운 리더 습관 공식을 만들어 가야 한다.
하지만 세상, 현실, 시중에 있는 수많은 리더 습관 공식들, 유명한 리더 습관 공식들, 인기 있는 리더들의 습관 공식, 과학적으로 증명된 리더 습관 공식들이 마치 답인 것처럼 3혹(현혹, 유혹, 화혹: 화려함으로 혹하게 하는 것)시키고 세뇌를 시킨다.
그래서 그렇게 수많은 리더 습관 책을 많이 읽고 습관 공식을 보더라도 다 실패한다.

왜? 실패하는가? 운전으로 예를 들겠다. 세계 인구 80억 명이면 운전 습관도 80억 개의 스타일이 있고 나다운 운전 습관이 있다.
그런데 세상, 현실, 인지도 있는 리더들은 이렇게 말을 한다. 카레이서(성공 리더 공식) 운전 습관이 중요하다고 강요(세뇌)를 한다. "당신의 운전 습관은 필요 없고 틀렸다. 카레이서 운전 습관이 더 중요하다. 나다운 운전 습관은 중요하지 않다."

자기다운 운전 습관, 나다운 운전 습관이 있는데 인지도 있는 리더들 습관 공식, 성공한 리더들 습관 공식이 마치 답인 것처럼 무작정 따라 한다. 그래서 나다운 습관을 만들지 못하고 늘 포기를 한다.

우리가 운전을 배울 때 어떻게 하는가? 운전에 가장 기본적인 10%로만 배우고 90%는 운전 경험을 통해서 나다운 운전 습관을 만들어 간다. 습관도 똑같다.

누구나 한 번쯤 경험한 적이 있을 것이다.
나다운 운전 습관이 있다 보니 운전을 아무리 잘하는 사람의 차를 타더라도 멀미가 나고 어색하며 불안하다. 왜 그럴까? 자기만의 운전 습관, 스타일이 있기 때문에 멀미가 나고 불안하다. 그래서 단언컨대 리더 습관의 가장 중요한 것은 나다운 습관을 만드는 것이다.

- 리더 습관 7:3공식이 아닌 리더 습관 3:7 공식
70% 뜻은 유명한 리더들, 인지도 있는 리더들이 말하는 공식 열 개 중에 70%인 7개를 따라 한다는 것이다. 90% 리더들은 나머지 30% 시행착오, 대가 지불, 인고의 시간을 통한 경험을 쌓고 있다. 3:7이 아닌 7:3으로

하고 있으니 대부분 리더가 나다운 리더 습관을 쌓지 못하고 "해봤는데 안 돼, 이제 안 해"라는 태도로 자신의 변화, 성장, 미래를 포기하는 리더들이 많아졌다.

유명한 리더 습관 책, 유명한 리더 습관 공식, 성공한 리더들의 습관 공식들은 그 리더들이 살아온 시행착오, 대가 지불, 인고의 시간과 수많은 경험들이 합쳐진 결과물의 공식이기에 무작정 따라 하는 건 어렵다는 것이다. 무작정 따라 할 수밖에 없는 사람의 심리다. 만들어져 있는 것을 따라 하는 게 쉽기 때문이다. 항상 쉬운 쪽에는 변화, 성장, 배움이 없다는 것을 명심해야 한다.

3:7공식! 30% 유명한 리더, 성공한 리더가 말하는 공식 10가지 중에 30%인 3개만 벤치마킹하는 것이다.

나머지 70%는 시행착오, 대가 지불, 인고의 시간을 통해서 자기의 경험을 누적시켜야 한다. 이것이 나다운 방탄 리더 습관 쌓기 공식이다.

- 리더 습관 고.틀.선.편 깨기 (고정관념, 틀, 선입견, 편견)

세상의 모든 것은 인간의 심리인 고정관념, 틀, 선입견, 편견이 있다. 습관에도 고, 틀, 선, 편이 있다.

20,000명 심리 상담, 코칭 하면서 알게 된 것은 대부분

사람들이 고, 틀, 선, 편 개념을 잘못 알고 있다.

대부분 사람들은 고, 틀, 선, 편 개념을 "기존에 알고 있는 것을 다 지워버리고 없애버리고 무시하고 새로운 것을 받아들이고 새로운 것을 배우자" 이렇게 알고 있다.

고, 틀, 선, 편 본질은 기존에 알고 있는 것은 그대로 두고 새로운 것을 융합, 플러스하는 것이 고, 틀, 선, 편 본질이다.

기존에 알고 있는 것들을 어떻게 배웠는가? 힘들게 배웠다! 기존에 알고 있는 공식에 플러스할 수 있는 공식을 알려주겠다. 집중!

대한민국 5,200만 명이 습관을 잘못 알고 있는 게 또 있다. 습관은 바꾸는 것? 성격은 바꾸는 것? 스피치는 바꾸는 것? 1,000% 틀렸다.

그렇게 알고 있으니 습관, 성격, 스피치 바꾸는 게 어려운 것이다. 어려운 방법을 하고 있으니 당연히 안되는 게 당연하다. 첫 단추부터 잘못 끼고 있으니 다 어렵게 느껴지는 거다.

이제는 바꾸는 것이 아니라 쌓는다. 쌓아 간다! 라고 외우면 된다.

습관을 바꾸는 게 아니라 쌓는 것

성격은 바꾸는 게 아니라 쌓는 것

스피치는 바꾸는 게 아니라 쌓는 것

20,000명 심리 상담, 코칭, 2,000권 습관 책 독서, 45년간 습관 320가지 쌓으면서 알게 된 습관의 비밀! 단언컨대 습관이 왜 바꾸는 것이 아니라 쌓는 것인지 알게 해주겠다.

- 하루 중에 습관적이지 않은 행동 5%, 습관적인 행동 95%

한 사람이 하루에 하는 행동에서 5%만 습관적이지 않은 행동이고 나머지 95%는 습관적인 행동이다.

단순하게 생각해 보면 경제적인 부분을 제외한다면 습관적인 행동 95%가 삶의 질을 좌지우지한다.

아침에 눈 뜨고 잠자는 시간까지 모든 것이 습관적으로 행동한다.

95%가 습관적인 행동이기에 습관이 답이고 인생 답이 습관에 있다.

사람이 살아가는데 습관이라는 것은 산소만큼 중요하다.

습관의 모든 답이 있다. 습관은 제2의 자아다. 습관은 제2의 심장이다. 습관은 나의 부캐릭터다.

자존감이 낮은 리더들은 자존감이 낮은 습관을 하고 있고 자존감이 높은 리더들은 자존감이 높은 습관을 하고 있다. 우울한 리더들은 우울한 습관을 하고 있다. 항상 부정적인 리더들은 부정적인 습관을 평상시에 많이 한다.
긍정적인 리더, 행복한 리더들은 긍정적인 습관, 행복한 습관을 평상시에 많이 하기 때문에 행복한 것이다.

습관을 현미경으로 들여다보면 돈 쓰는 습관, 태도 습관, 자존감 습관, 터닝포인트 습관, 자신감 습관, 행복 습관, 사랑 습관, 우울 습관...자신이 살아가면서 자신의 모든 것들이 습관으로 만들어진다.
《리더 습관 PT 5》

손흥민의 삼성(진정성, 전문성, 신뢰성)습관
손흥민 존 습관!

손흥민 존 습관!

페널티아크(손흥민존) 골대까지 멀어
독점 가능성이 굉장히 낮은 위치.

손웅정 감독이 손흥민에게 준 선물.

기존 유럽 축구 선수들은
아시아 선수를 무시했다.
그래서 실력이 없으면
패스를 안 해준다.

손흥민의 삼성(진정성, 전문성, 신뢰성)습관
손흥민 존 습관!

손흥민 존 습관!

패스를 못 받으니 -> 골을
못 넣고 -> 역시 저 친구는
실력이 없는 아시아 선수 군 ->
다시 패스를 못 받게 된다.
그렇게 악순환 고리에 빠지고
-> 역시 못하네.

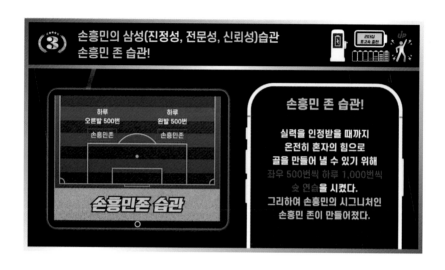

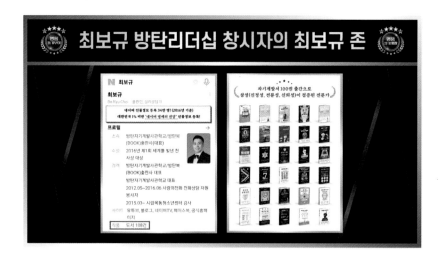

▶ 스토리텔링 전체 내용!

여러분들은 손흥민zone을 아시나요?

손흥민존은 어떤 영역일까.

수비수 입장에서 굉장히 애매한 위치다. 골대와 가깝지 않으니 슛을 하라고 놔둬도 실점 가능성이 낮은 지역이다. 달려가서 막을 경우 상대 공격수가 자신을 제칠 경우 바로 실점 가능성이 굉장히 높아지는 지역이다. 적극적으로 다가가서 압박 수비를 하기에는 애매하다. 따라서 수비수와 공격수 사이에는 공간이 생긴다. 다른 지역보다는 공간이 꽤 생기니 공격수 입장에서는 자신의 리듬대로 슛을 하기 좋다. 하지만 골대까지 멀어 득점 가능성이 굉장히 낮다. 골키퍼 입장에서는 해당 구역은 약간 긴장감이 떨어지는 구역일 수 있다. 공격수가 슛을 하지만 골대 안까지 잘 안 들어오거나 와도 공이 약하다. 또 거리가 꽤 있으니 슛을 보고 반응해도 막을 수 있을 거 같은 구역이다.

아버지가 준 선물.

손흥민 아버지 손웅정씨는 국가대표 축구선수 출신으로 이 구역의 의미를 가장 잘 아는 사람이다. 이 구역은 수비수 입장에서도 골키퍼 입장에서도 굉장히 애매한 영역이므로 거꾸로 생각하면 훈련을 통해서 성과를 극대화할 수 있는 영역이다. 그래서 손웅정씨는 아들 손흥민을 위해서 좌우 500번씩 하루 1,000번씩 슛 연습을 함께 했다. 그 결과가 바로 손흥민 존이다. 그 덕분에 손흥민은 다른 선수들 도움 없이 온전히 혼자서 골을 만들어 낼 수 있는 자신만의 영역인 손흥민 존을 얻게 되었다. 그렇다면 왜 아버지는 손흥민 존을 만들어 주고 싶었을까?

온전히 혼자 힘으로 골을 만들어 낼 수 있다는 것

축구는 팀 스포츠이다. 혼자 아무리 잘해도 패스를 안 해주면? 골을 넣을 수 없다. 축구의 신 메시조차 팀을 옮긴 뒤 골이 급격히 줄어들지 않았는가. 유럽 무대에 아시아 축구 선수가 신입으로 들어왔다고 생각해보자.

기존 유럽축구 선수들은 신입 아시아 선수를 무시할 가능성이 크다. 아시아 축구 선수의 실력 자체를 의심할 것이고, 따라서 패스를 안 해준다.(실제 해외 진출 실패했던 선수들의 인터뷰를 살펴보면 패스를 못 받았다는 얘기를 자주 볼 수 있다). 당연히 유럽 선수들은 이렇게 말할 거다. 아 인종차별이 아니라, 그 친구 실력이 부족하니 패스를 안 한 거라고.

실력을 인정받아야만 패스를 받을 수 있다. 하지만 신뢰받지 못하는 축구 선수가 어떻게 패스를 받을 수 있을까. 패스를 못 받으니 -> 골을 못 넣고 -> 역시 저 친구는 실력이 없는 아시아 선수군 -> 다시 패스를 못 받게 된다. 그렇게 악순환 고리에 빠지고 -> 역시 못하네. 이렇게 될 가능성이 아주 크다. 거기다가 유럽 현지 언어도 못 하니 말도 잘 못 알아들으니 점차 소외되고 팀에 못 어울리니 시간이 지나도 신뢰를 쌓지 못하고 여전히 패스를 못 받는다. 그러다가 결국 퇴출된다. 손웅정씨는 이런 상황을 내다보고 악순환 고리를 끊을 수 있는 비장의 무기를 만들어 준 것이 아닐까.

<티스토리 Tap to restart>

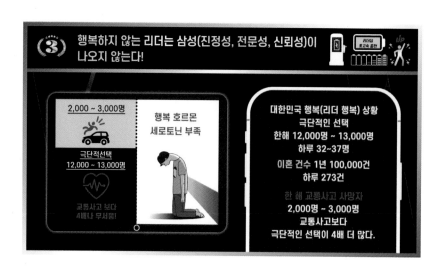

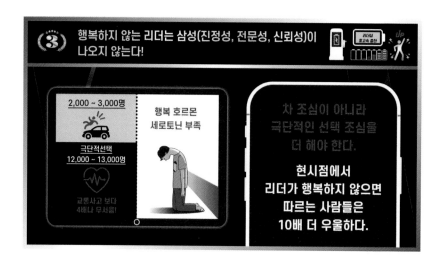

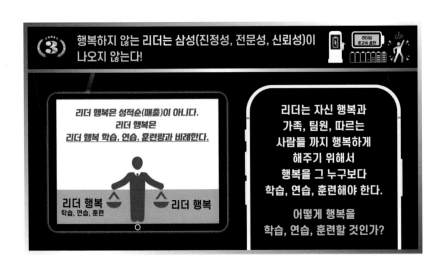

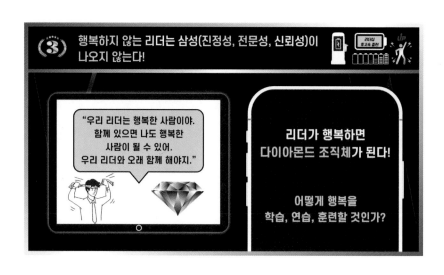

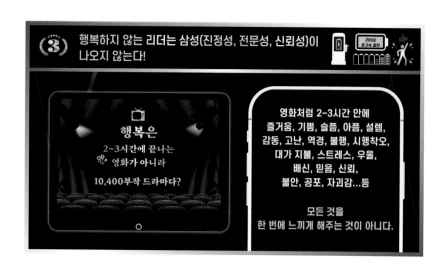

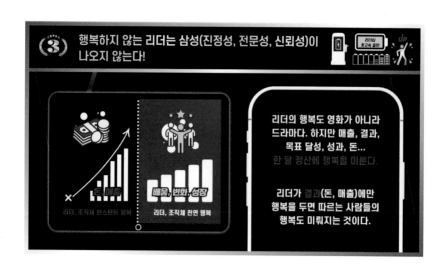

③ 행복하지 않는 리더는 삼성(진정성, 전문성, 신뢰성)이
나오지 않는다!

리더, 조직체 인스턴트 행복

리더, 조직체 천연 행복

리더 행복이 돈, 매출, 결과에 있는 건
순간 느끼고 끝나는
인스턴트 행복이다.
리더, 조직체의 몸, 정신이 변질된다.

리더 행복이 조직체의 배움, 변화, 성장,
어제보다 나은 조직체에 있는 건
오래 지속되는 천연 행복이다.
리더, 조직체가 건강해진다.

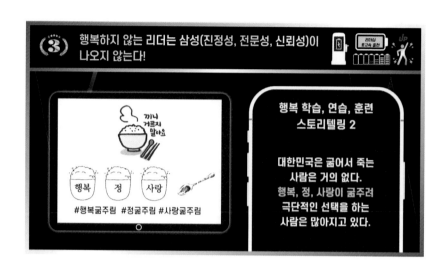

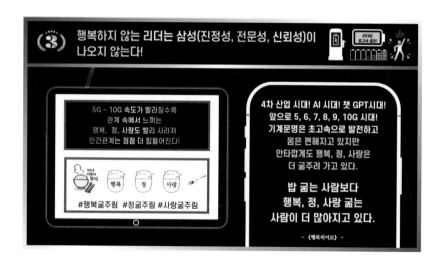

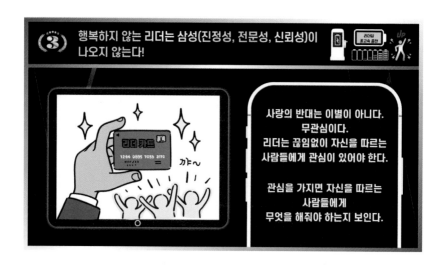

③ 행복하지 않는 리더는 삼성(진정성, 전문성, 신뢰성)이 나오지 않는다!

리더가 쏜다!

매출의 1%를 리더가
더 챙기는 태도가 아니라
조직체의 행복, 정, 사랑을 위해서
1%를 더 써야 한다.

단단한 조직체를 만들기 위한
최고의 강력 접착제인
행복, 정, 사랑에
더욱 신경 써야 한다.

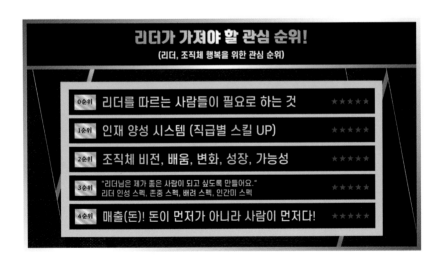

리더가 가져야 할 관심 순위!
(리더, 조직체 행복을 위한 관심 순위)

0순위	리더를 따르는 사람들이 필요로 하는 것	★★★★★
1순위	인재 양성 시스템 (직급별 스킬 UP)	★★★★★
2순위	조직체 비전, 배움, 변화, 성장, 가능성	★★★★★
3순위	"리더님은 제가 좋은 사람이 되고 싶도록 만들어요." 리더 인성 스펙, 존중 스펙, 배려 스펙, 인간미 스펙	★★★★★
4순위	매출(돈)! 돈이 먼저가 아니라 사람이 먼저다!	★★★★★

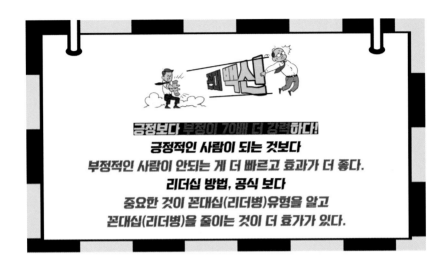

20,000명을 심리 상담, 코칭 하면서 알게된
꼰대십(리더병)!

리더십 반대는 무능함이 아닌 꼰대십이다!
좋아하는 것보다 싫어하는 것을 하지 않을 때
리더십의 믿음, 신뢰가 쌓인다!

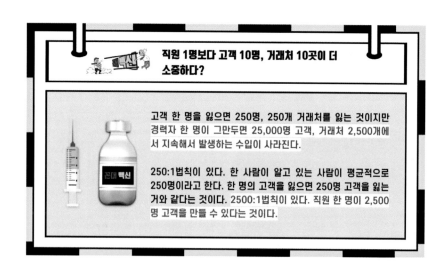

직원 1명보다 고객 10명, 거래처 10곳이 더 소중하다?

고객 한 명을 잃으면 250명, 250개 거래처를 잃는 것이지만 경력자 한 명이 그만두면 25,000명 고객, 거래처 2,500개에서 지속해서 발생하는 수입이 사라진다.

250:1법칙이 있다. 한 사람이 알고 있는 사람이 평균적으로 250명이라고 한다. 한 명의 고객을 잃으면 250명 고객을 잃는 거와 같다는 것이다. 2500:1법칙이 있다. 직원 한 명이 2,500명 고객을 만들 수 있다는 것이다.

고객 1 명은 1명이 아니라 250명이고 250개 거래처다!
직원 1명은
고객 25,000명, 거래처 2,500개를 만들 수 있다!

고객보다 소중한 건
내부 고객인 직원이다!

리더가
회사를 망하게 하는
지름길은
직원을 힘들게 하고
직원을 무시하면 된다!

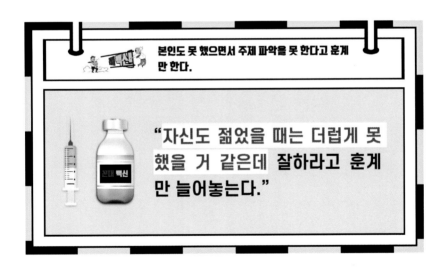

본인도 못 했으면서 주제 파악을 못 한다고 훈계만 한다.

꼰대 백신

"자신도 젊었을 때는 더럽게 못 했을 거 같은데 잘하라고 훈계만 늘어놓는다."

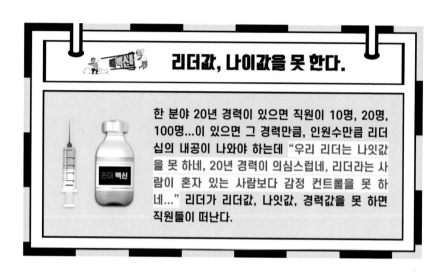

리더값, 나이값을 못 한다.

한 분야 20년 경력이 있으면 직원이 10명, 20명, 100명...이 있으면 그 경력만큼, 인원수만큼 리더십의 내공이 나와야 하는데 "우리 리더는 나잇값을 못 하네, 20년 경력이 의심스럽네, 리더라는 사람이 혼자 있는 사람보다 감정 컨트롤을 못 하네..." 리더가 리더값, 나잇값, 경력값을 못 하면 직원들이 떠난다.

리더가 리더값, 타이틀값, 나잇값을 하지 못하면
리더십이 썩는다!
회사, 함께하는 사람까지 썩는다!

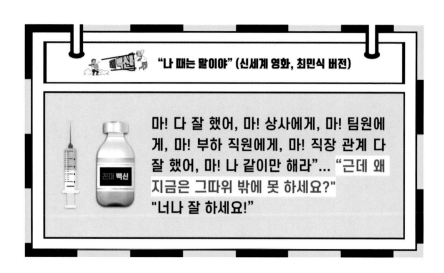

"나 때는 말이야" (신세계 영화, 최민식 버전)

마! 다 잘 했어, 마! 상사에게, 마! 팀원에게, 마! 부하 직원에게, 마! 직장 관계 다 잘 했어, 마! 나 같이만 해라"... "근데 왜 지금은 그따위 밖에 못 하세요?"
"너나 잘 하세요!"

언행일치가 99% 안 된다.

"어제는 이렇게 말하더니 오늘은 다르게 말하네. 도대체 어떻게 하라는 거야?"
헷갈리게 하여 리더의 신뢰가 무너진다.

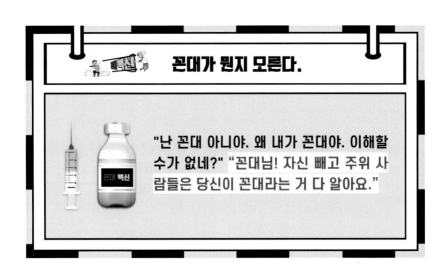

꼰대가 뭔지 모른다.

"난 꼰대 아니야. 왜 내가 꼰대야. 이해할 수가 없네?" "꼰대님! 자신 빼고 주위 사람들은 당신이 꼰대라는 거 다 알아요."

1. 삼성 손 퍼즐   2. "함께 잘 되자" 손 퍼즐   3. 겸손(인성) 손 퍼즐

방탄 리더십 퍼즐

방탄 리더십 3개의 손 퍼즐
1. 삼성(진정성, 전문성, 신뢰성)의 손 퍼즐
2. "함께 잘 되자" 손 퍼즐 3. 겸손(인성)의 손 퍼즐

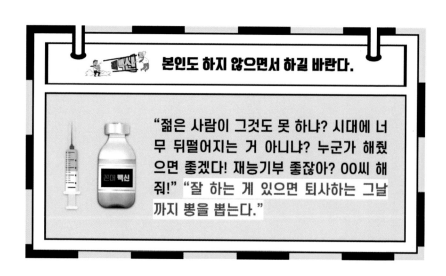

본인도 하지 않으면서 하길 바란다.

"젊은 사람이 그것도 못 하냐? 시대에 너무 뒤떨어지는 거 아니냐? 누군가 해줬으면 좋겠다! 재능기부 좋잖아? OO씨 해줘!" "잘 하는 게 있으면 퇴사하는 그날까지 뽕을 뽑는다."

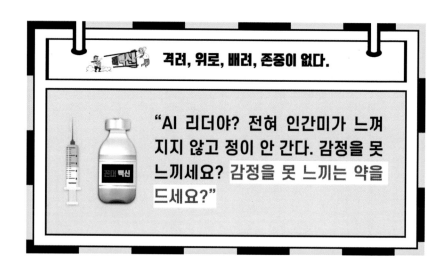

격려, 위로, 배려, 존중이 없다.

"AI 리더야? 전혀 인간미가 느껴지지 않고 정이 안 간다. 감정을 못 느끼세요? 감정을 못 느끼는 약을 드세요?"

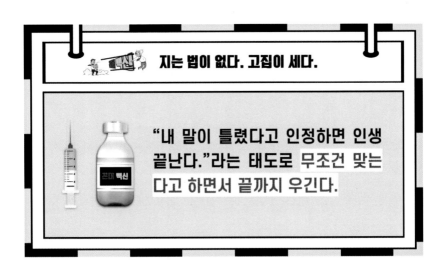

지는 법이 없다. 고집이 세다.

"내 말이 틀렸다고 인정하면 인생 끝난다."라는 태도로 무조건 맞는다고 하면서 끝까지 우긴다.

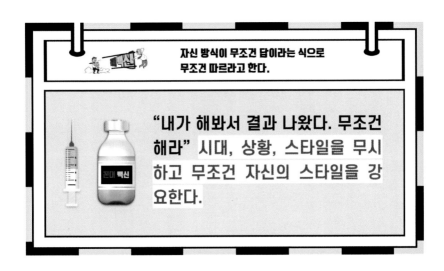

자신 방식이 무조건 답이라는 식으로 무조건 따르라고 한다.

"내가 해봐서 결과 나왔다. 무조건 해라" 시대, 상황, 스타일을 무시하고 무조건 자신의 스타일을 강요한다.

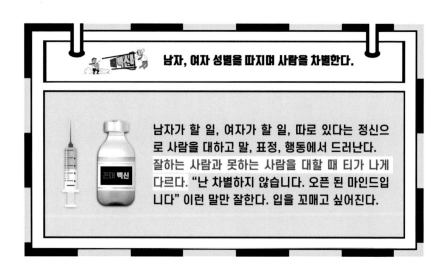

남자, 여자 성별을 따지며 사람을 차별한다.

남자가 할 일, 여자가 할 일, 따로 있다는 정신으로 사람을 대하고 말, 표정, 행동에서 드러난다. 잘하는 사람과 못하는 사람을 대할 때 티가 나게 다르다. "난 차별하지 않습니다. 오픈 된 마인드입니다" 이런 말만 잘한다. 입을 꼬매고 싶어진다.

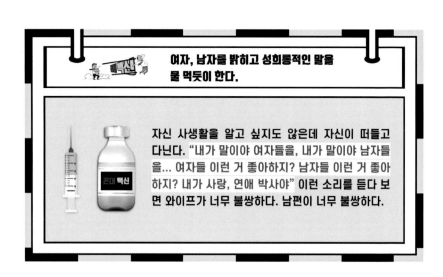

여자, 남자를 밝히고 성희롱적인 말을 물 먹듯이 한다.

자신 사생활을 알고 싶지도 않은데 자신이 떠들고 다닌다. "내가 말이야 여자들을, 내가 말이야 남자들을... 여자들 이런 거 좋아하지? 남자들 이런 거 좋아하지? 내가 사랑, 연애 박사야" 이런 소리를 듣다 보면 와이프가 너무 불쌍하다. 남편이 너무 불쌍하다.

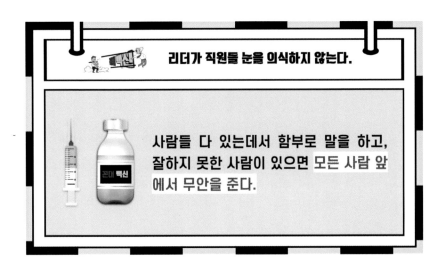

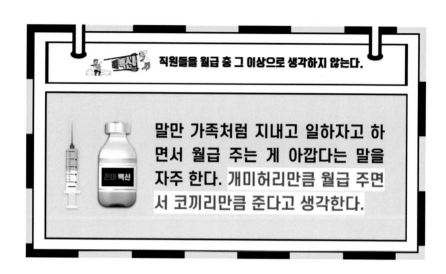

직원들을 월급 줄 그 이상으로 생각하지 않는다.

말만 가족처럼 지내고 일하자고 하면서 월급 주는 게 아깝다는 말을 자주 한다. 개미허리만큼 월급 주면서 코끼리만큼 준다고 생각한다.

월급에 다 포함 되어있으니 까라면 까라는 식으로 강요한다.

"당신이 직원이었을 때 '까라면 까라!'라는 말을 들으면 당신은 어떤 기분이었는지 물어보고 싶어진다."

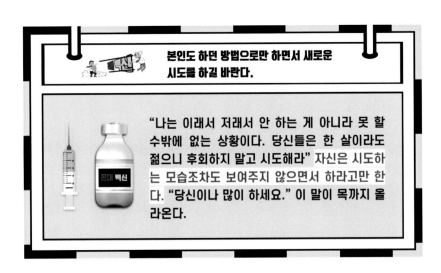

본인도 하던 방법으로만 하면서 새로운 시도를 하길 바란다.

"나는 이래서 저래서 안 하는 게 아니라 못 할 수밖에 없는 상황이다. 당신들은 한 살이라도 젊으니 후회하지 말고 시도해라" 자신은 시도하는 모습조차도 보여주지 않으면서 하라고만 한다. "당신이나 많이 하세요." 이 말이 목까지 올라온다.

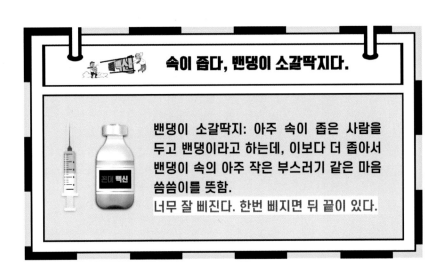

속이 좁다, 밴댕이 소갈딱지다.

밴댕이 소갈딱지: 아주 속이 좁은 사람을 두고 밴댕이라고 하는데, 이보다 더 좁아서 밴댕이 속의 아주 작은 부스러기 같은 마음 씀씀이를 뜻함.
너무 잘 삐진다. 한번 삐지면 뒤 끝이 있다.

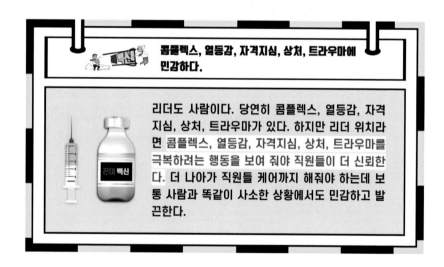

콤플렉스, 열등감, 자격지심, 상처, 트라우마에 민감하다.

리더도 사람이다. 당연히 콤플렉스, 열등감, 자격지심, 상처, 트라우마가 있다. 하지만 리더 위치라면 콤플렉스, 열등감, 자격지심, 상처, 트라우마를 극복하려는 행동을 보여 줘야 직원들이 더 신뢰한다. 더 나아가 직원들 케어까지 해줘야 하는데 보통 사람과 똑같이 사소한 상황에서도 민감하고 발끈한다.

콤플렉스, 열등감, 자격지심, 상처, 트라우마에 민감하다.

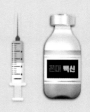 그래서 리더는 셀프 심리 케어를 위해 심리공부도 부단히 해야 한다. 리더가 콤플렉스, 열등감, 자격지심, 상처, 트라우마라는 족쇄에 묶여 산다면 가족, 팀원, 조직체도 콤플렉스, 열등감, 자격지심, 상처, 트라우마라는 족쇄에 묶여 사는 것이다.

 눈빛을 보내는 게 아닌 눈총을 준다.

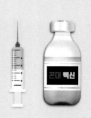 총 중에 가장 힘이 없는 총은? 직원의 사기를 죽이는 총은? 눈총이다. 국어사전에서 눈총은 눈에 독기를 띠며 쏘아보는 시선이다. 눈총으로 직원들 자신감, 열정, 사기, 가능성을 죽인다. 한마디로 팀킬을 하는지도 모르고 눈총을 준다. 눈총은 "너가 되겠냐. 너가 하면 장을 지진다. 너 주제에 넌 안 돼. 월급 충아. 너 못 믿겠어."

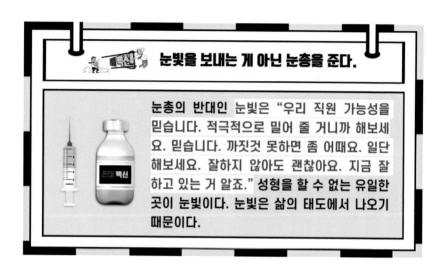

눈총의 반대인 눈빛은 "우리 직원 가능성을 믿습니다. 적극적으로 밀어 줄 거니까 해보세요. 믿습니다. 까짓것 못하면 좀 어때요. 일단 해보세요. 잘하지 않아도 괜찮아요. 지금 잘하고 있는 거 알죠." 성형을 할 수 없는 유일한 곳이 눈빛이다. 눈빛은 삶의 태도에서 나오기 때문이다.

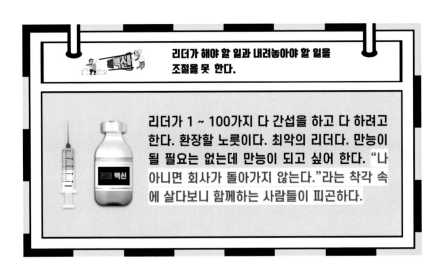

리더가 해야 할 일과 내려놓아야 할 일을 조절을 못 한다.

리더가 1 ~ 100가지 다 간섭을 하고 다 하려고 한다. 환장할 노릇이다. 최악의 리더다. 만능이 될 필요는 없는데 만능이 되고 싶어 한다. "나 아니면 회사가 돌아가지 않는다."라는 착각 속에 살다보니 함께하는 사람들이 피곤하다.

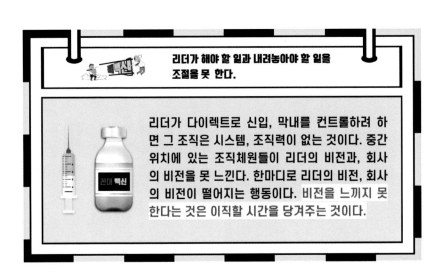

리더가 해야 할 일과 내려놓아야 할 일을 조절을 못 한다.

리더가 다이렉트로 신입, 막내를 컨트롤하려 하면 그 조직은 시스템, 조직력이 없는 것이다. 중간 위치에 있는 조직체원들이 리더의 비전과, 회사의 비전을 못 느낀다. 한마디로 리더의 비전, 회사의 비전이 떨어지는 행동이다. 비전을 느끼지 못한다는 것은 이직할 시간을 당겨주는 것이다.

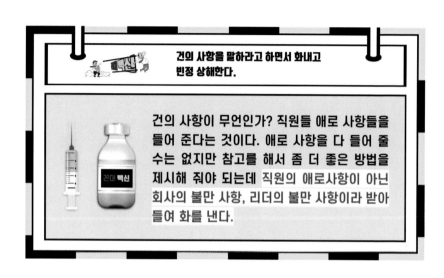

건의 사항을 말하라고 하면서 화내고
빈정 상해한다.

건의 사항이 무언인가? 직원들 애로 사항들을
들어 준다는 것이다. 애로 사항을 다 들어 줄
수는 없지만 참고를 해서 좀 더 좋은 방법을
제시해 줘야 되는데 직원의 애로사항이 아닌
회사의 불만 사항, 리더의 불만 사항이라 받아
들여 화를 낸다.

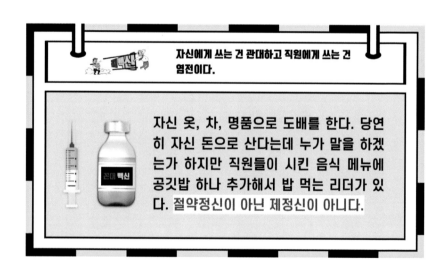

자신에게 쓰는 건 관대하고 직원에게 쓰는 건
염전이다.

자신 옷, 차, 명품으로 도배를 한다. 당연
히 자신 돈으로 산다는데 누가 말을 하겠
는가 하지만 직원들이 시킨 음식 메뉴에
공깃밥 하나 추가해서 밥 먹는 리더가 있
다. 절약정신이 아닌 제정신이 아니다.

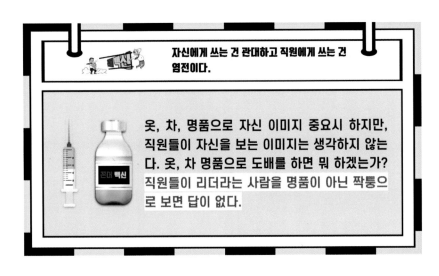

자신에게 쓰는 건 관대하고 직원에게 쓰는 건 엄전이다.

옷, 차, 명품으로 자신 이미지 중요시 하지만, 직원들이 자신을 보는 이미지는 생각하지 않는다. 옷, 차 명품으로 도배를 하면 뭐 하겠는가? 직원들이 리더라는 사람을 명품이 아닌 짝퉁으로 보면 답이 없다.

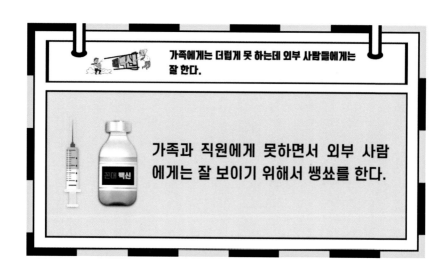

가족에게는 더럽게 못 하는데 외부 사람들에게는 잘 한다.

가족과 직원에게 못하면서 외부 사람에게는 잘 보이기 위해서 쌩쑈를 한다.

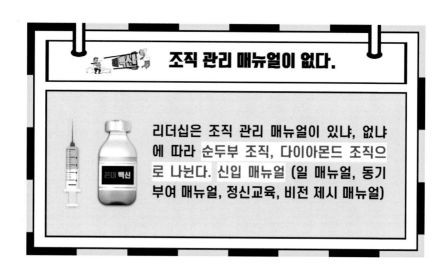

조직 관리 매뉴얼이 없다.

리더십은 조직 관리 매뉴얼이 있냐, 없냐에 따라 순두부 조직, 다이아몬드 조직으로 나뉜다. 신입 매뉴얼 (일 매뉴얼, 동기부여 매뉴얼, 정신교육, 비전 제시 매뉴얼)

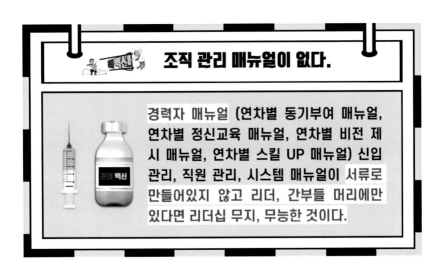

조직 관리 매뉴얼이 없다.

경력자 매뉴얼 (연차별 동기부여 매뉴얼, 연차별 정신교육 매뉴얼, 연차별 비전 제시 매뉴얼, 연차별 스킬 UP 매뉴얼) 신입 관리, 직원 관리, 시스템 매뉴얼이 서류로 만들어있지 않고 리더, 간부들 머리에만 있다면 리더십 무지, 무능한 것이다.

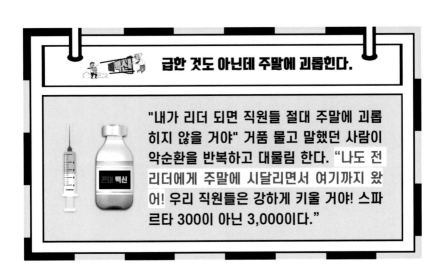

급한 것도 아닌데 주말에 괴롭힌다.

"내가 리더 되면 직원들 절대 주말에 괴롭히지 않을 거야" 거품 물고 말했던 사람이 악순환을 반복하고 대물림 한다. "나도 전 리더에게 주말에 시달리면서 여기까지 왔어! 우리 직원들은 강하게 키울 거야! 스파르타 300이 아닌 3,000이다."

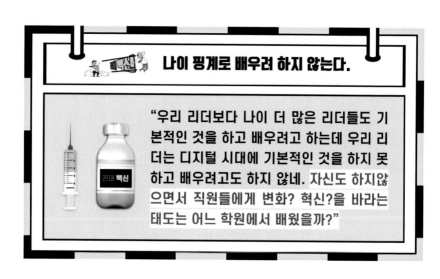

나이 핑계로 배우려 하지 않는다.

"우리 리더보다 나이 더 많은 리더들도 기본적인 것을 하고 배우려고 하는데 우리 리더는 디지털 시대에 기본적인 것을 하지 못하고 배우려고도 하지 않네. 자신도 하지않으면서 직원들에게 변화? 혁신?을 바라는 태도는 어느 학원에서 배웠을까?"

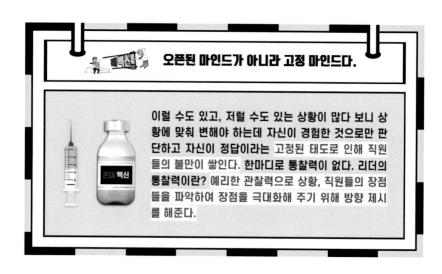

오픈된 마인드가 아니라 고정 마인드다.

이럴 수도 있고, 저럴 수도 있는 상황이 많다 보니 상황에 맞춰 변해야 하는데 자신이 경험한 것으로만 판단하고 자신이 정답이라는 고정된 태도로 인해 직원들의 불만이 쌓인다. 한마디로 통찰력이 없다. 리더의 통찰력이란? 예리한 관찰력으로 상황, 직원들의 장점들을 파악하여 장점을 극대화해 주기 위해 방향 제시를 해준다.

꼰대십 유형

- 메타인지가 약하다.
- 게으르다.
- 표정이 어둡다.
- 웃질 않는다.
- 권위 의식이 흘러내린다.
- 비비불이 많다. (비난, 비판, 불평)
- 절제, 자제를 못 한다.
- 시기, 질투가 심하다.

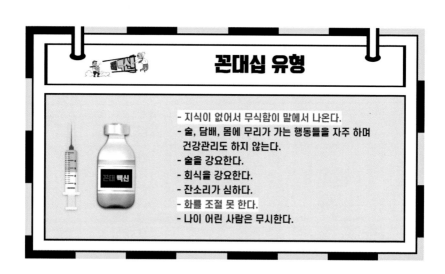

꼰대십 유형

- 지식이 없어서 무식함이 말에서 나온다.
- 술, 담배, 몸에 무리가 가는 행동들을 자주 하며
  건강관리도 하지 않는다.
- 술을 강요한다.
- 회식을 강요한다.
- 잔소리가 심하다.
- 화를 조절 못 한다.
- 나이 어린 사람은 무시한다.

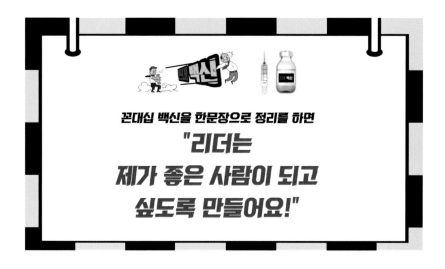

꼰대십은 죽지 않는다. 다만 회사가 망할 뿐이다!

20,000명 심리 상담, 코칭 하면서 알게 된 것은
꼰대들도 처음부터는 꼰대가 아니었다!
"나는 저런 꼰대가 되지 않아야지!" 말만 하고
꼰대가 되지 않기 위한 학습, 연습, 훈련을 하지 않아서
꼰대로 진화하는지도 모르게 진화한다!

리더십 보다 중요한 것이 꼰대십(리더병) 절제다!

꼰대 백신 접종은 어디서?
세계에서 유일하게
꼰대 백신 접종을 할 수 있는 곳은
방탄자기계발사관학교

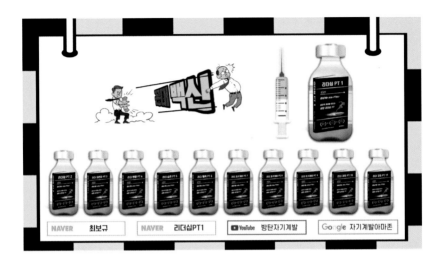

삼성이 검증된 100가지 기술력

1	방탄 자존감 코칭 기술	**13**	방탄 강사 코칭 기술	**25**	방탄 리더십 코칭 기술	**37**	종이책 쓰기 코칭 기술
2	방탄 자신감 코칭 기술	**14**	방탄 강의 코칭 기술	**26**	방탄 인간관계 코칭 기술	**38**	PDF책 쓰기 코칭 기술
3	방탄 자기관리 코칭 기술	**15**	파워포인트 코칭 기술	**27**	방탄 인성 코칭 기술	**39**	PPT로 책 출간 코칭 기술
4	방탄 자기계발 코칭 기술	**16**	강사 트레이닝 코칭 기술	**28**	방탄 사랑 코칭 기술	**40**	자격증교육 커리큘럼으로 책 출간 코칭 기술
5	방탄 멘탈 코칭 기술	**17**	강사 스킬UP 코칭 기술	**29**	스트레스 해소 코칭 기술	**41**	자격증교육 커리큘럼으로 영상 제작 코칭 기술
6	방탄 습관 코칭 기술	**18**	강사 인성, 멘탈 코칭 기술	**30**	힐링, 웃음, FUN 코칭 기술	**42**	책으로 디지털콘텐츠 제작 코칭 기술
7	방탄 긍정 코칭 기술	**19**	강사 습관 코칭 기술	**31**	마인드컨트롤 코칭 기술	**43**	책으로 온라인콘텐츠 제작 코칭 기술
8	방탄 행복 코칭 기술	**20**	강사 자기계발 코칭 기술	**32**	사명감 코칭 기술	**44**	책으로 네이버 인물등록 코칭 기술
9	방탄 동기부여 코칭 기술	**21**	강사 자기관리 코칭 기술	**33**	신념, 열정 코칭 기술	**45**	책으로 강의 교안 제작 코칭 기술
10	방탄 정신교육 코칭 기술	**22**	강사 양성 코칭 기술	**34**	팀워크 코칭 기술	**46**	책으로 민간 자격증 만드는 코칭 기술
11	꿈 코칭 기술	**23**	강사 양성 과정 코칭 기술	**35**	협동, 협업 코칭 기술	**47**	책으로 자격증과정 8시간 제작 코칭 기술
12	목표 코칭 기술	**24**	퍼스널프랜딩 코칭 기술	**36**	버킷리스트 코칭 기술	**48**	책으로 유튜브 콘텐츠 제작 코칭 기술

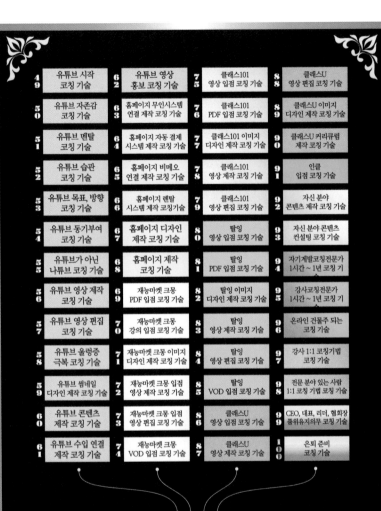

49 유튜브 시작 코칭 기술	**62** 유튜브 영상 홍보 코칭 기술	**75** 클래스101 영상 입점 코칭 기술	**88** 클래스U 영상 편집 코칭 기술
50 유튜브 자존감 코칭 기술	**63** 홈페이지 무인시스템 연결 제작 코칭 기술	**76** 클래스101 PDF 입점 코칭 기술	**89** 클래스U 이미지 디자인 제작 코칭 기술
51 유튜브 멘탈 코칭 기술	**64** 홈페이지 자동 결제 시스템 제작 코칭 기술	**77** 클래스101 이미지 디자인 제작 코칭 기술	**90** 클래스U 커리큐럼 제작 코칭 기술
52 유튜브 습관 코칭 기술	**65** 홈페이지 비메오 연결 제작 코칭 기술	**78** 클래스101 영상 제작 코칭 기술	**91** 인클 입점 코칭 기술
53 유튜브 목표, 방향 코칭 기술	**66** 홈페이지 렌탈 시스템 제작 코칭 기술	**79** 클래스101 영상 편집 코칭 기술	**92** 자신 분야 콘텐츠 제작 코칭 기술
54 유튜브 동기부여 코칭 기술	**67** 홈페이지 디자인 제작 코칭 기술	**80** 탈잉 영상 입점 코칭 기술	**93** 자신 분야 콘텐츠 컨설팅 코칭 기술
55 유튜브가 아닌 나튜브 코칭 기술	**68** 홈페이지 제작 코칭 기술	**81** 탈잉 PDF 입점 코칭 기술	**94** 자기계발코칭전문가 1시간~1년 코칭 기
56 유튜브 영상 제작 코칭 기술	**69** 재능마켓 크몽 PDF 입점 코칭 기술	**82** 탈잉 이미지 디자인 제작 코칭 기술	**95** 강사코칭전문가 1시간~1년 코칭 기
57 유튜브 영상 편집 코칭 기술	**70** 재능마켓 크몽 강의 입점 코칭 기술	**83** 탈잉 영상 제작 코칭 기술	**96** 온라인 건물주 되는 코칭 기술
58 유튜브 울렁증 극복 코칭 기술	**71** 재능마켓 크몽 이미지 디자인 제작 코칭 기술	**84** 탈잉 영상 편집 코칭 기술	**97** 강사 1:1 코칭기법 코칭 기술
59 유튜브 썸네일 디자인 제작 코칭 기술	**72** 재능마켓 크몽 입점 영상 제작 코칭 기술	**85** 탈잉 VOD 입점 코칭 기술	**98** 전문 분야 있는 사람 1:1 코칭 기법 코칭 기술
60 유튜브 콘텐츠 제작 코칭 기술	**73** 재능마켓 크몽 입점 영상 편집 코칭 기술	**86** 클래스U 영상 입점 코칭 기술	**99** CEO, 대표, 리더, 협회장 품위유지의무 코칭 기술
61 유튜브 수입 연결 제작 코칭 기술	**74** 재능마켓 크몽 VOD 입점 코칭 기술	**87** 클래스U 영상 제작 코칭 기술	**100** 은퇴 준비 코칭 기술

세계 최초! 우주 책임감 150년 A/S, 관리, 피드백
최보규 대표 010- 6578-8295

한 분야 전문가로는 힘든 시대! 온라인 건물주!
자신 분야 삼성(진정성, 전문성, 신뢰성)을 높여
제2수입, 제3수입 발생시켜 은퇴 후 30년을 준비하자!

★★★★

삼성(진정성, 전문성, 신뢰성)이 검증된 전문가

7G 직업

(출판사 대표, 작가, 심리 상담사, 코칭 전문가, 강사, 유튜버, 한집의 가장)

| 습관 주치의 | 멘탈 주치의 | 자존감 주치의 | 행복 주치의 | 사랑 주치의 | 웃음 주치의 | 강사 주치의 | 유튜브 주치의 | 책쓰기 주치의 | 리더십 주치의 |

20,000명 심리 상담, 코칭 하면서 알게 된 것은
사람들 99%가 주치의처럼 늘 옆에서 걱정, 고민을
털어놓고 삶, 인생, 자신 분야, 자자자자멘습긍
(자존감, 자신감, 자기관리, 자기계발, 멘탈, 습관, 긍정)
피드백 받을 수 있는 주치의 같은 전문가를 바란다.

세계 최초
방탄자기계발 주치의

방탄자기계발 전문가
최보규 대표

www.방탄자기계발사관학교.com

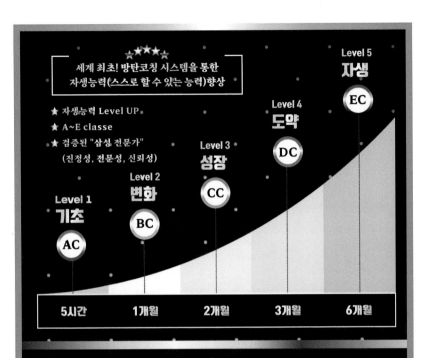

세계 최초! 방탄코칭 시스템을 통한
자생능력(스스로 할 수 있는 능력)향상

★ 자생능력 Level UP
★ A~E classe
★ 검증된 "삼성 전문가"
　 (진정성, 전문성, 신뢰성)

Level 1
기초
AC

Level 2
변화
BC

Level 3
성장
CC

Level 4
도약
DC

Level 5
자생
EC

| 5시간 | 1개월 | 2개월 | 3개월 | 6개월 |

최보규 방탄코칭 전문가
자기개발, 자기계발 메뉴얼 /시스템

1:1 맞춤 상담
1

자신, 자신 분야 심리, 성향, 상황을 파악하여 최소의 시간 최소의 비용으로 최대의 효과를 낼 수 있는 방향 제시. 자신, 자신 분야 가치, 가능성, 자신감 향상.

목표, 방향 컨설팅
2

자신, 자신 분야 분석 후 목표, 방향 설정을 통해 자신 분야 삼성 (진정성, 전문성, 신뢰성)을 올리는 코칭과 제2 수입, 제 3 수입을 연결시킬 수 있는 방법 컨설팅.

코칭 분야 선택
3

10가지 코칭 분야에서 자신 코칭와 연결시킬 수 있는 분야 선택.

코칭 받은 분야는 자격 증까지 함께 취득할 수 있는 1석2조.

클래스 선택
4

이코노미 코칭(속성)
비즈니스 코칭(속성)
퍼스트 클래스(속성)

기본 5시간/10시/15 시/3개월/6개월/1년 클래스, 시간 선택

**150년
a/s, 피드백, 관리**
5

자생능력(스스로 할 수 있는 능력)이 생길 때까지 멘토가 되어 주고 생활 속에서 겪는 스트레스, 걱정, 고민을 심리 상담을 통해 케어. 자기개발 주치의, 자기계발 주치의

Google 자기계발아마존　▶YouTube 방탄자기계발　NAVER 방탄자기계발사관학교　NAVER 최보규

296

Best 12

검증된 리더 강의 분야

<저자 최보규>   <저자 최보규>

1 방탄 리더 동기부여

사람을 움직이는 가장 강력한 동기부여는 "우리 리더는 내가 좋은 사람이 되고 싶도록 만들어"라는 마음을 들게 하여 행동하게 만드는 리더다!

2 나다운 방탄리더십

1명의 방탄리더가 10만 명을 변화시키고 먹여 살린다. 리더는 사라져도 방탄리더십은 1,000년 간다! 리더의 삼성(진정성, 전문성, 신뢰성)을 업그레이드!

Best 12

검증된 리더 강의 분야

<저자 최보규>

<저자 최보규>

3 방탄 리더 의무교육

4 방탄 리더 기본기

직원은 5대 법정의무교육이 필수! 리더는 7대 의무교육이 필수! 5대 법정의무교육을 받지 않으면 벌금이지만 리더가 7대 의무교육을 받지 않으면 회사가 망한다!

기본기를 지킨다고 리더가 되는 건 아니다. 단언컨대 사람들에게 존경받고 위대한 업적을 만드는 리더들은 기본기를 철저하게 지킨다.

Best 12
검증된 리더 강의 분야

<저자 최보규>

<저자 최보규>

5 방탄 리더 태도

세상에서 가장 강력한 태도 스펙! 어떻게 학습, 연습, 훈련할 것인가?
Body(몸)태도, Head(머리)태도, Mind(마음)태도 320가지 학습, 연습, 훈련하는 방법 최초 공개!

6 방탄 리더 인재 양성

리더의 기본 스펙은 인재 양성이다. 인재는 오는 게 아니라 시스템으로 만들어지는 것이다. 리더가 인재 양성 매뉴얼, 시스템 구축은 선택이 아닌 필수다.

Best 12

검증된 리더 강의 분야

BEST Seller

<저자 최보규>

<저자 최보규>

7 방탄 리더 감정컨트롤

8 방탄 리더 스피치

사명감은 스펙이다! 학습, 연습, 훈련으로 만들어 진다! 세상에 사명감 없는 사람은 없다! 다만 사명감 만드는 방법을 모를 뿐이다!

숨만 쉬어도 근손실이 되듯 숨만 쉬어도 리손실(리더십 손실)이 되기에 앞서가는 리더는 리더십 PT 받는다! 식스펙은 한달 지속 되지만 리더십 식스펙은 100년 지속 된다.

Best 12

검증된 리더 강의 분야

<저자 최보규> <저자 최보규>

9 방탄 리더 감정컨트롤

세상에서 가장 무능한 리더는 감정에 따라 말투, 표정, 행동이 달라지는 사람이다.
방탄 리더 감정컨트롤, 스트레스 관리 7단계!

10 방탄 리더 스피치

입은 출력장치 말이 저장 되어 있는 Body(몸), Head(머리), Mind(마음) 스피치에 답이 있다. Body(몸) 스피치, Head(머리) 스피치, Mind(마음) 스피치 학습, 연습, 훈련!

Best 12

검증된 리더 강의 분야

<저자 최보규>   <저자 최보규>

11 방탄 리더 책쓰기

리더 자신 분야 삼성(진정성, 전문성, 신뢰성)을 올리는 최고의 자기계발은 책쓰기, 책 출간이다! 리더 은퇴 준비, 노후 준비까지 가능한 방탄 리더 책 쓰기!

12 방탄 리더 인간관계

좋은 리더가 되어 좋은 사람을 오게 하는 인간관계 CLASS 7. 100년 함께 하고 싶은 리더가 되기 위한 인간관계 CLASS 7.
삼성(진정성, 전문성, 신뢰성) 인간관계 CLASS 7.

세계 최초! 방탄동기부여 효율적인 교육 시스템!

1단계

교육

= 20%

2단계

스스로
학습, 연습, 훈련

= 30%

3단계

검증된 전문가
a/s,관리,피드백

= 50%

150년
a/s,관리,피드백

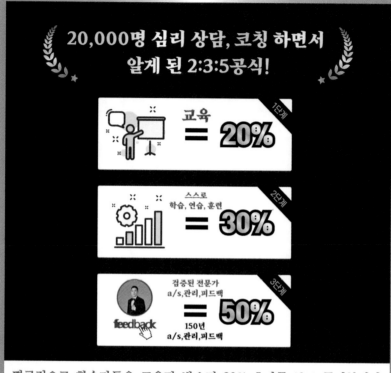

평균적으로 학습자들은 교육만 받으면 80% 효과를 보고 동기부여가 되어 행동으로 나올 것이라고 착각합니다.

그러다 보니 교육받는 동안 생각만큼, 돈을 지불한 만큼 자신 기준의 미치지 못하면 효과를 보지 못할 거라고 지레짐작으로 스스로가 한계를 만들어 버립니다. 그래서 행동으로 옮기지 못하는 것이 상황, 교육자가 아닌 자기 자신이라는 것을 모릅니다.

20,000명 심리 상담, 코칭, 리더 자기계발서 100권 출간, 리더 습관 320 가지 만듦, 시행착오, 대가 지불, 인고의 시간을 통해 가장 효율적이며 효과적인 교육 시스템은 2:3:5라는 것을 알게 되었습니다.

교육 듣는 것은 20%밖에 되지 않습니다. 교육을 듣고 스스로가 생활 속에서 배웠던 것을 토대로 30% 학습, 연습, 훈련해야 합니다.
학습, 연습, 훈련한 것을 가장 중요한 50%인 검증된 전문가에게 꾸준히 a/s, 관리, 피드백을 받아야만 2:3:5공식 효과를 볼 수 있습니다.

베스트셀러 일반 강의 분야

<저자 최보규>   <저자 최보규>

1 방탄 동기부여

2 방탄 자기계발

세상에 동기부여 못하는 사람은 없다. 다만 동기부여 잘하는 방법을 모를 뿐이다.
모든 분야에 접목이 가능한 방탄 동기부여! 6가지 수입까지 창출할 수 있는 방탄 동기부여!

노오력 자기계발이 아닌 올바른 노력 방탄 자기계발을 통해 제2수입, 제3수입까지 올려 온라인 건물주가 될 수 있는 방법을 학습, 연습, 훈련한다.

Best 12

베스트셀러 일반 강의 분야

<저자 최보규>

<저자 최보규>

3 방탄 멘탈

뭘 해도 욕먹는 시대! 대중매체, SNS, 주위 사람들... 자신 멘탈 배터리를 소모시키는 현실 속에서 자신 멘탈을 보호하기 위한 방탄멘탈 7단계 업데이트!

4 방탄 습관

습관, 성격, 스피치는 바꾸는 것이 아니라 쌓아 가는 것이다. 레고 블록처럼! 몸습관 블록, 머리 습관 블록, 마음 습관 블록! 습관에 답이 있고 습관에 인생이 있다.

베스트셀러 일반 강의 분야

<저자 최보규>   <저자 최보규>

5 방탄 인간관계

인생에서 90%의 스트레스
는 인간관계에서 온다. 인간
관계 속 스트레스로부터 정
신, 몸을 보호하는 방탄 인간
관계. 4차 산업 시대에 맞는
4차 인간관계는 방탄 인간관
계로 업데이트!

6 방탄 소통

소통에 답이 있는가? 정답
은 답이 아니다. 해결책도
답이 아니다. 공감만이 답
이다.
방탄 소통, 방탄 공감을 하
기 위한 학습, 연습, 훈련!

Best 12

베스트셀러 일반 강의 분야

<저자 최보규>

<저자 최보규>

7 방탄 행복

대한민국 행복 꼴찌! 대한민국 행복이 위험하다. 자신 행복이 위험하다. 당신이 행복하지 않은 이유는 단언컨대 행복을 학습, 연습, 훈련하지 않아서다!

8 방탄 자존감

사랑, 연예, 인간관계, 성공, 꿈, 이루고 싶은 것, 목표, 사람이 하는 모든 것들의 결과물, 행동하는 모든 것은 행복하기 위해서이고 행복의 본질은 자존감이다.

베스트셀러 일반 강의 분야

<저자 최보규>

<저자 최보규>

9   방탄 케어

10 방탄 스토리텔링

아픈 만큼 성숙해진다? 거짓말에 속지 말자! 아픈 만큼 성숙해지려면 극복을 해야 한다. 방탄 케어로 마음 상처 극복 학습, 연습, 훈련!

20,000명 심리 상담, 코칭하면서 엄선 한1,000개의 스토리텔링(스토리텔링 300가지, 이미지 스토리텔링 700개)을 통해 자신, 자신 분야 터닝포인트!

Best 12

베스트셀러 일반 강의 분야

<저자 최보규>

<저자 최보규>

11 방탄 강사 1, 2

1~3년 차는 강의, 강사를 다듬을 수 있는 도구. 3~5년 차는 강의, 강사 자신의 전문 분야 방향을 잡을 수 있는 GPS가 될 것이다. 5~10년 차는 강의, 강사 일에 초심을 되새기고 사명감을 만들 수 있는 마지막 퍼즐 한 조각이 되어 줄 것이다. 10~130년 차는 강사의 꽃인 강사 양성 교육을 할 수 매뉴얼, 시스템이 되어 줄 것이다.

12 방탄 책쓰기

출판계의 혁신! 출판계의 스티브 잡스! 90% 작가들이 책 쓰기, 출간만 하고 끝난다. 하지만 방탄 BOOK은 자신 분야와 연결하여 6가지 수입을 창출하는 책 쓰기, 출간을 한다.

자신 분야 스펙, 내공, 가치, 값어치

카페에서 냅킨에 그린 그림이 1억?

카페에 피카소가 앉아 있었습니다. 한 손님이 다가와 종이 냅킨 위에 그림을 그려 달라고 부탁했습니다. 피카소는 상냥하게 고개를 끄덕이곤 빠르게 스케치를 끝냈습니다. 냅킨을 건네며 1억 원을 요구했습니다.

손님이 깜짝 놀라며 말했습니다. 어떻게 그런 거액을 요구할 수 있나요? 그림을 그리는 데 1분밖에 걸리지 않았잖아요. 이에 피카소가 답했습니다.

아니요. 40년이 걸렸습니다. 냅킨의 그림에는 피카소가 40여 년 동안 쌓아온 노력, 고통, 열정, 명성이 담겨 있었습니다. 피카소는 자신이 평생을 바쳐서 해온 일의 가치를 스스로 낮게 평가하지 않았습니다.

《확신》

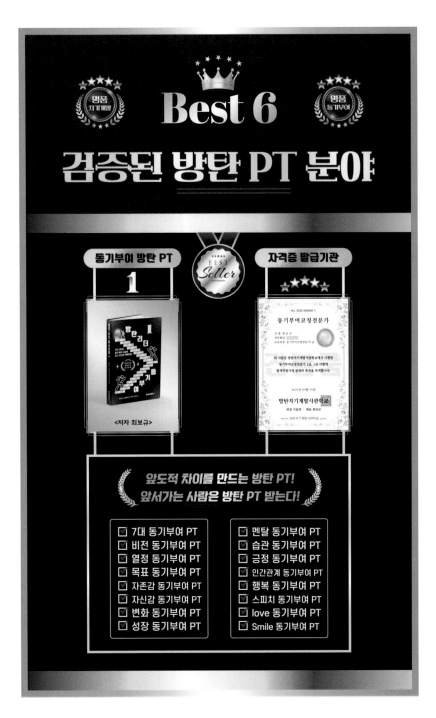

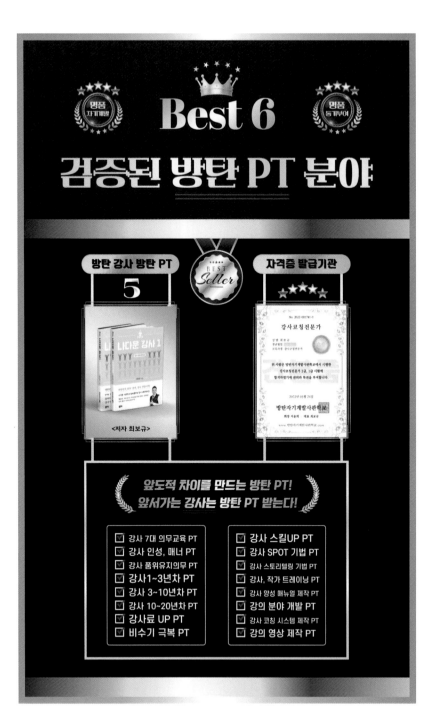

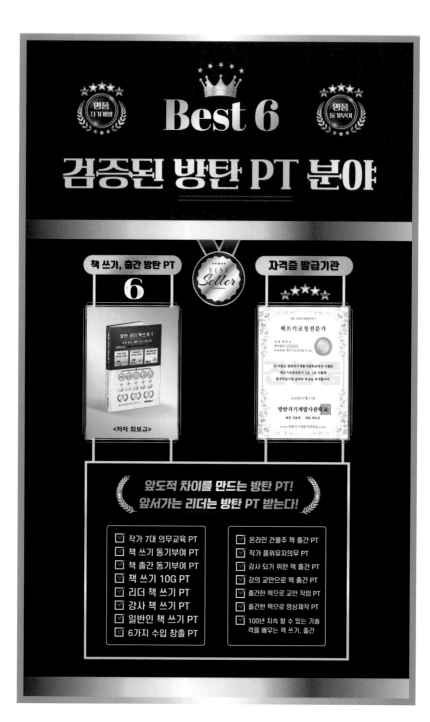

세상에
리더십이 없는 사람은 없다.
다만
리드하는 방법을 모를 뿐이다.

- 최보규 방탄리더십 일타강사 -

★★★★★ 차별이 아닌 초월 시스템 ★★★★★

타사와 비교불가 초월 혜택!
자신 분야 온라인 건물주가 되어 100년 수입 창출!

| Google 자기계발아존 | ▶YouTube 방탄자기계발 | NAVER 방탄동기부여 | NAVER 최보규 |

이코노미 PT

기본 5H : 500,000원

CHECK POINT

☑ 기본 1회(1일=5H)

☑ 6가지 수입 창출 시스템 매뉴얼 설명

☑ 150년 A/S

특허청 등록
최보규 자기계발코칭 창시자
등록 번호: 제 40-2072344 호

★★★★★ **차별이 아닌 초월 혜택** ★★★★★

 Google 자기계발아마존　　 YouTube 방탄자기계발　　NAVER 방탄동기부여　　NAVER 최보규

이코노미 PT

기본 5H : 500,000원

- ☑ 150년 A/S (세계 최초)
- ☑ 마스터한 분야 자격증 1종 취득
- ☑ 방탄자기계발사관학교 강사 위촉
- ☑ 방탄자기계발사관학교 마스터 위촉
- ☑ 비지니스 PT 10% 할인
  (10만원 상당)
- ☑ 퍼스트클래스 PT 10% 할인
  (30만원 상당)
- ☑ 마스터한 분야 실전 2시간 강의
  교안 제공. (강사료 200만원 상당)

특허청 등록
최보규 자기계발코칭 창시자
등록 번호: 제 40-2072344 호

★★★★★ **차별이 아닌 초월 혜택** ★★★★★

Google 자기계발아마존	▶YouTube 방탄자기계발	NAVER 방탄동기부여	NAVER 최보규

비지니스 PT

기본 10H : 1,000,000원

- ☑ 150년 A/S, 피드백
- ☑ 마스터한 분야 자격증 1종 취득
- ☑ 방탄자기계발사관학교 전임 강사 위촉
- ☑ 방탄자기계발사관학교 전임 마스터 위촉
- ☑ 퍼스트클래스 PT 10% 할인
  (30만원 상당)
- ☑ 강사 맞춤 트레이닝 비대면 1회 제공
  (50만원 상당)
- ☑ 마스터한 분야 실전 2시간 강의 교안
  제공, 1:1 맞춤 교안 설명
  (강사료 200만원 / 1:1 맞춤 100만원 상당)

326

★★★★★ 차별이 아닌 초월 혜택 ★★★★★

Google 자기계발아마존   ▶YouTube 방탄자기계발   NAVER 방탄동기부여   NAVER 최보규

퍼스트클래스 PT

기본 15H : 3,000,000원~

- ☑ 150년 A/S, 피드백, VIP맞춤 관리
- ☑ 자격증 3종 취득 (150만원 상당)
- ☑ 방탄자기계발사관학교 지회장 위촉
- ☑ 종이책, 전자책 출간 후 네이버 인물 등록
- ☑ 20H, 30H, 40H, 50H PT 20% 할인
- ☑ 강사 맞춤 트레이닝 대면 1회 제공
  (50만원 상당)
- ☑ 프로필 유튜브 홍보 영상 제작
  (100만원 상당)
- ☑ 마스터한 분야 풀 패키지 (교안 제공,
  1:1 맞춤 교안 설명, 청강 1회 제공)
  (강사료 200만원 / 1:1 맞춤 100만원 /
  청강 1회 200만원 상당)

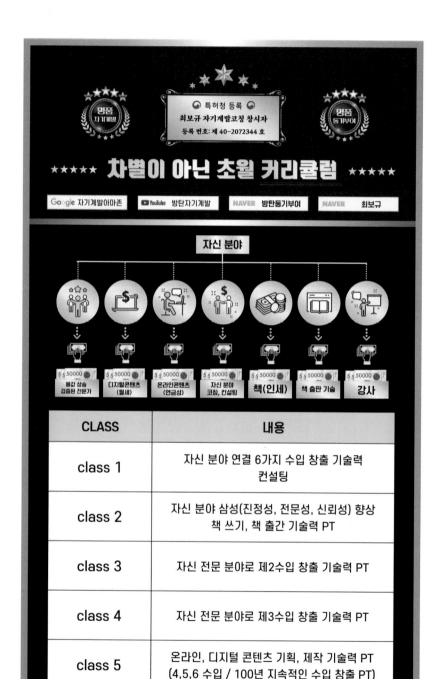

CLASS	내용
class 1	자신 분야 연결 6가지 수입 창출 기술력 컨설팅
class 2	자신 분야 삼성(진정성, 전문성, 신뢰성) 향상 책 쓰기, 책 출간 기술력 PT
class 3	자신 전문 분야로 제2수입 창출 기술력 PT
class 4	자신 전문 분야로 제3수입 창출 기술력 PT
class 5	온라인, 디지털 콘텐츠 기획, 제작 기술력 PT (4,5,6 수입 / 100년 지속적인 수입 창출 PT)

최보규 방탄동기부여 전문가
검증된 PT, 강의, 맞춤 코칭, 컨설팅

★★★★
◎ 특허청 등록 ◎
최보규 자기계발코칭 창시자
등록 번호: 제 40-2072344 호

최보규 대표
010-6578-8295

명품 동기부여
명품 자기계발

방탄자기계발사관학교는 국가등록 민간자격증 발급 기관! 명품 인재 양성 기관!

리더십코칭전문가	동기부여코칭전문가	자기계발코칭전문가	강사코칭전문가	책쓰기코칭전문가

리더 분야	동기부여 분야	자기계발 분야	강의, 강사 분야	책쓰기, 책출간 분야
<저자 최보규>	<저자 최보규>	<저자 최보규>	<저자 최보규>	<저자 최보규>

방탄 리더십	7대 동기부여	7대 자기계발	강사 7대 의무교육	책 쓰기 동기부여
리더 7대의무교육	변화,성장동기부여	변화,성장자기계발	강사 인성, 매너	책 출간 동기부여
리더 품위유지의무	비전 동기부여	비전 자기계발	강사 품위유지의무	작가 품위유지의무
리더 은퇴, 재테크	열정 동기부여	열정 자기계발	강사1-3년 차	책 쓰기, 책 출간 10G
리더 동기부여	사원 동기부여	사원 자기계발	강사료 올리기 위한 준	매뉴얼, 시스템.
리더 스피치	임원진 동기부여	임원진 자기계발	비, 스펙 쌓기.	100권 읽기로 월세,
리더 사명감, 인성	직급별 동기부여	직급별 자기계발	강사4~10년 차	연금성 수입 창출卒수,
리더 기본기, 태도	사랑 동기부여	사랑 자기계발	강사료 올리기 의한 준	강의 교안으로 책 쓰고
리더 자존감, 멘탈	자존감 동기부여	자존감 자기계발	비, 스펙 쌓기.	책 출간.
리더 습관, 행복	자신감 동기부여	자신감 자기계발	강사10-20년 차	출간한 책으로 강의 교
리더 인간관계	자기관리 동기부여	자기관리 자기계발	강사료 올리기 위한 준	안 작업.
인재 양성 매뉴얼	자기계발 동기부여	자기계발 자기계발	비, 스펙 쌓기.	출간한 책으로 온라인,
리더 감정컨트롤	멘탈 동기부여	멘탈 자기계발	강사 스킬UP	디지털 콘텐츠 제작.
리더 스트레스관리	습관 동기부여	습관 자기계발	강사 트레이닝	6가지 수입을 창출하
리더 라포형성기법	긍정 동기부여	긍정 자기계발	강의 스토리텔링 기법	는 책 쓰기, 책 출간.
리더 상담기법	인간관계 동기부여	인간관계 자기계발	강의 SPOT 기법	100년 지속 할 수 있
리더 코칭기법	인재양성 동기부여	인재양성 자기계발	강사 매뉴얼	는 기술력을 배우는 책
리더 스토리텔링	행복 동기부여	행복 자기계발	강사 양성 시스템	쓰기, 책 출간.

Google 자기계발아마존 　 ▶YouTube 방탄자기계발 　 NAVER 방탄자기계발사관학교 　 NAVER 　 최보규

329

330

◆ 참고문헌, 출처

《부하직원이 말하지 않는 31가지 진실》박태현, 조자까, 책비, 2021

<중앙일보 마이크로소프트사 킴킴 "빅데이터와 인공지능, 그리고 명상">

<facebook.com/ggumtalk>

《마음을 밝혀주는 소금 1》유동법, 움직이는 책, 1997

《당신을 지금 무엇을 생각하는가》이규성, 라이온북스, 2013

《사람을 남겨라》정도일, 북스톤, 2015

<유튜브 성공 비밀> 트레버 모아와드

<유튜브 터닝포인트 - 위대한 성공의 시작점>

<열정에 기름 붓기>

<유튜브 Demirören Haber Ajansı>

《리더 자기계발 PT 7》최보규, 부크크, 2023

<유튜브 EBS 건강>

《백년허리 1》정선근, 언탱클링, 2021

<심리학자 윌리엄 제임스>

《리더 습관 PT 5》최보규, 부크크, 2023

<티스토리 Tap to restart>

1조 리더십 강의 1

(지금까지 알고 있는 리더십은 다 잊어라!)

발 행 | 2023년 12월 25일

저 자 | 최보규

편 집 | 시윤희

디자인 | 최보규

마케팅 | 최보규

펴낸이 | 한건희

펴낸곳 | 주식회사 부크크

출판사등록 | 2014.07.15.(제2014-16호)

주 소 | 서울특별시 금천구 가산디지털1로 119 SK트윈타워 A동 305호

전 화 | 1670-8316

이메일 | info@bookk.co.kr

ISBN | 979-11-410-6137-1